D1250394

Les 12 étapes vers une alimentation crue

Victoria Boutenko

Préface par Gabriel Cousens, M.D., M.D. (H)

© 2002 Victoria Boutenko et les Éditions Jalinis

Tous droits réservés. Aucune partie de ce livre ne peut être reproduite ou transmise sous aucune forme ou par quelque moyen électronique ou mécanique que ce soit, par photocopie, enregistrement ou par quelque forme d'entreposage d'information ou système de recouvrement, sans la permission écrite de l'éditeur, sauf pour l'inclusion d'un court extrait dans une critique.

Les Éditions

alinis

Montréal, Québec
Tél: 1.514.898.8273
www.Jalinis.com

Photographie de la couverture : Dragomir Vukovic
Couverture et maquette : Lightbourne
Traduction : Claire Durand

ISBN 2-9807969-1-3

Mise en garde: L'information contenue dans ce livre ne doit pas être considérée comme un avis médical. L'auteure, l'éditeur et le distributeur n'assument aucune responsabilité quant aux conséquences négatives pouvant résulter de l'adoption du mode de vie décrit dans ce livre.

Bien que les 12 étapes présentées dans ce livre soient inspirées des 12 étapes des Alcooliques Anonymes (A.A.), elles n'en sont pas vraiment une adaptation. Elles ont plutôt été créées pour cette publication et ne devraient pas être interprétées autrement. A.A. est un organisme aidant les gens aux prises avec un problème d'alcool et n'a donc aucun lien avec cette publication.

REMERCIEMENTS

Je remercie tous ces chers amis dans le monde qui m'ont inspiré ce que je pense aujourd'hui.

Je remercie les rédacteurs, les correcteurs et les graphistes de leur gentillesse et de leur patience.

Je remercie particulièrement
Donald O. Haughey et
Elizabeth et David Bechtold
d'avoir contribué au financement de mon livre.

NOTE DE LA TRADUCTRICE

J'ai pu assister en mai 2002 à deux conférences sur l'alimentation crue présentées par madame Boutenko. Je m'intéresse à l'alimentation crue depuis près de 20 ans. J'arrivais à manger cru sur des périodes de quelques mois, mais je revenais constamment aux aliments cuits, qui prenaient toujours des proportions plus grandes dans mon assiette, malgré ma compréhension des bienfaits de l'alimentation crue.

Les explications de madame Boutenko m'ont permis de comprendre pourquoi je me devais de suivre un régime cru à 100 %. Ce fut une révélation pour moi, après des années d'intérêt et de recherches. Ce même soir, madame Boutenko a demandé à l'assistance si quelqu'un était intéressé à traduire son livre. J'ai donné mon nom et suis entrée en contact avec la personne responsable des conférences. Et voilà, j'ai traduit et tapé le livre en entier en quelques mois, toujours avec le même enthousiasme.

Je ne suis pas traductrice de métier. Cependant, je connais le milieu de l'alimentation végétarienne depuis longtemps, les recettes, les épiceries santé, etc. J'ai reproduit les expressions particulières à madame Boutenko, qui, bien que parlant la langue de Shakespeare impeccablement, colore parfois ses propos de tournures russes. Je crois ainsi avoir rendu hommage à ses dons de communication, à sa personnalité unique, à son authenticité.

Madame Boutenko est resplendissante de santé et quiconque a le privilège d'assister à ses conférences ou à ses cours pourra par la suite adopter l'alimentation crue avec une meilleure compréhension du cheminement et des écueils à éviter pour en retirer un maximum de bénéfices.

J'ajoute rapidement que, à la vue de cette famille en parfaite santé et dégageant la Vie, vous saurez que vous êtes arrivé à bon port.

Bonne lecture,

Claire Durand

TABLE DES MATIÈRES

PREMIÈRE PARTIE

Pourquoi manger cru?

Page

DEUXIÈME PARTIE

Comment rester au cru

PRÉFACE

Par Gabriel Cousens

Les douze étapes vers une alimentation crue constitue un tournant en faveur du mouvement de l'alimentation vivante. Humblement, Victoria Boutenko nous fait comprendre pour la première fois que plusieurs personnes sont littéralement dépendantes des aliments cuits. À cause de cette dépendance, elles éprouvent de la difficulté à cheminer vers une alimentation vivante complète. Ce livre est une réponse à leurs problèmes. Avec délicatesse et compassion, Victoria propose un programme de 12 étapes pour aider les gens à réussir leur transition vers les aliments vivants. Elle s'est inspirée du programme en 12 étapes des Alcooliques Anonymes. En se basant sur les mêmes principes, elle a élaboré un processus efficace pour permettre aux gens d'atteindre leur but.

En tant que médecin holistique, psychiatre, thérapeute familial et adepte des aliments vivants à 100 % depuis 1983, et après avoir aidé des centaines de personnes à se convertir aux aliments vivants, je considère que ce livre m'a ouvert un nouvel horizon extraordinaire.

Mon passage aux aliments vivants a été motivé par un intérêt spirituel intense. J'y suis parvenu sans l'aide des autres et avec peu de connaissances. J'ai eu de la chance parce que je n'avais pas vraiment fait l'expérience des difficultés de la dépendance. C'est sans doute pourquoi je n'avais pas l'idée d'aider mes clients à comprendre ces difficultés. Au centre de rajeunissement L'Arbre de Vie (*The Tree of Life Rejuvenation Center*), un centre d'alimentation vivante situé à Patagonia en Arizona dont je suis le directeur, nous faisons franchir à nos clients la plupart des étapes dont parle Victoria pour avoir du succès avec les aliments vivants, mais ce n'est pas aussi clair que ce qu'elle nous dit dans son livre.

Oui, nous enseignons l'étape 2, c'est-à-dire que les aliments vivants végétaliens sont indispensables à l'avènement d'un âge de paix. Oui, nous enseignons l'étape 3, soit les savoir-faire de base pour réussir des recettes crues et l'équipement à utiliser. Nous abordons l'étape 4, soit la compassion et la tolérance pour les personnes qui mangent des aliments cuits; l'étape 5, ou comment éviter les tentations; l'étape 6, qui consiste à créer des groupes de soutien; l'étape 7, qui vise à trouver des activités de rechange à l'alimentation.

Nous proposons l'étape 8, soit la refonte de la personnalité, puis l'étape 9, soit la psychologie de la dépendance aux aliments, en enseignant des techniques et des processus de guérison; il s'agit d'un cours spécial intitulé *Point Zéro* pour vaincre la dépendance aux aliments. À l'étape 10, nous montrons aux gens à faire confiance à leur intuition à l'endroit des aliments. Nous les invitons à l'étape 11, c'est-à-dire à la joie de l'éveil spirituel, puis à l'étape 12, où nous encourageons le mouvement de l'alimentation vivante en général; nous offrons du soutien avec des livres et même un cours d'aliments vivants, avec diplôme universitaire de maîtrise.

Mais l'étape 1 n'y est pas, qui vise à aider ceux qui ont des difficultés à prendre conscience de leur incontrôlable dépendance aux aliments cuits et de leur besoin réel d'une approche systématique basée sur les 12 étapes! L'étape 1 donne l'élan pour toutes les autres étapes.

C'est ce qui rend ce livre si précieux. Personnellement, je n'avais pas compris ce puissant phénomène de dépendance jusqu'à ce que j'en parle avec Victoria et que j'aie l'occasion de lire son livre. J'applaudis Victoria et son livre, car c'est une véritable percée. Je suis très content qu'on trouve ce livre sur le marché. Je vais le recommander à mes clients de *L'arbre de vie*. Il aborde un problème que bien des gens éprouvent. Je crois que cet ouvrage, dont le langage est rempli de compréhension et de compassion va rendre service à plusieurs personnes.

Préface

En partageant l'histoire de son propre cheminement et ses difficultés ainsi que celles de sa famille, Victoria donne au livre une belle prestance. Ses anecdotes ont quelque chose de concret et d'humain à quoi les lecteurs peuvent s'identifier. Son humilité rend ce livre encore plus fort. L'histoire de la conversion familiale, des luttes et de l'évolution dont les Boutenko ont fait l'expérience sont une inspiration. Plusieurs y retrouveront leurs propres luttes et une solution, à tout le moins un chemin vers le succès.

Même si la plus importante contribution de ce livre est l'idée claire et nette que les aliments cuits constituent une dépendance pour plusieurs, Victoria donne une très bonne vue d'ensemble de l'importance des aliments vivants pour notre santé et notre bien-être. Elle transmet aussi, pour la préparation des aliments, des idées fondamentales et, à mon avis, absolument géniales pour faire comprendre que ce n'est pas une question de recettes mais qu'il s'agit plutôt de jeu avec les aliments; elle nous encourage ainsi à faire nos propres créations avec des moyens simples afin de répondre à nos besoins.

En lisant ce livre, j'ai vraiment apprécié sa compréhension poussée des moindres détails de la transition vers les aliments crus. Par exemple, elle indique que les aliments crus ont besoin d'être délicieux, particulièrement au début, parce que les gens ont besoin du confort psychologique relié à la qualité gastronomique. Du même souffle, elle laisse entendre que, une fois habitués aux aliments vivants, les gens n'ont plus autant besoin de raffinement culinaire. Elle leur jette ainsi de précieuses bouées auxquelles ils peuvent s'accrocher pour réussir à devenir crudivores.

Sans doute ses propos empreints de compassion sont-ils basés sur ses propres expériences et sur celles de sa famille. Elle peut ainsi nous aider à mieux prendre en compte nos habitudes culturelles, les pressions sociales, le conditionnement qui nous affecte depuis notre naissance et le niveau de dépendance particulière qui résulte de la transformation des aliments. C'est avec ingéniosité qu'elle suggère des manières de traiter tous ces problèmes.

Ce livre est aussi très utile en offrant au lecteur la possibilité de devenir lui-même un expert. Il y a beaucoup de confusion dans tous les domaines qui se rattachent à la nutrition, qu'il s'agisse ou non d'aliments vivants. L'approche claire de Victoria encourage les gens, pendant qu'ils sont en phase de désintoxication, à écouter les envies de leur corps; ces envies indiquent souvent ce dont une personne a vraiment besoin pour la santé de son corps à ce moment-là.

Un autre aspect appréciable se trouve dans cet excellent chapitre sur la désintoxication en que tant que partie de la transition vers la guérison. Victoria présente judicieusement tous les symptômes que les personnes ressentent fréquemment et elle transforme la désintoxication en célébration. Dans les faits, elle transforme le processus de transition tout entier, qui n'est pas chose facile pour plusieurs, en une célébration de la vie et de l'amour de nous-même.

Ce livre est destiné à devenir un classique. Je suis privilégié d'avoir pu en écrire une introduction et je le recommande vivement à tous ceux qui veulent aider les autres à s'orienter vers une alimentation vivante, aux enseignants de l'alimentation vivante et à tous les amis des aliments vivants qui ont besoin de soutien, peu importe le niveau où ils sont rendus. Ce livre est l'une des meilleures contributions, en terme de soutien, au mouvement de l'alimentation vivante. J'en suis très reconnaissant à Victoria Boutenko.

Mes meilleurs souhaits de santé, de bien-être et de joie spirituelle,

Gabriel Cousens, M.D., M.D. (H)
Directeur de *The Tree of Life Rejuvenation Center*, auteur de *Conscious Eating* et de *Spiritual Nutrition and the Rainbow Diet*

UNE NOTE DE L'AUTEURE

Cher lecteur,

Je crois que vous ne pouvez pas vous souvenir de **mes** pensées ou de **mes** mots. Vous pouvez vous souvenir seulement de **vos** propres pensées, soit celles que vous avez pendant que vous lisez ou écoutez. Ensuite, elles deviennent vos propres découvertes et vous faites la modification vous-même à votre façon. C'est pourquoi, lorsque je donne des cours, j'ouvre toujours un dialogue. Je formule quelques questions clés et je demande à mon auditoire de me donner des réponses honnêtes.

Je vais vous poser à vous aussi, lecteur, quelques questions importantes dans ce livre, comme si vous étiez dans ma classe. Je sens qu'il est important pour vous, et non pour moi, d'être honnête envers vous-même, car je ne verrai jamais la plupart d'entre vous. Je vous en prie, soyez aussi honnête que vous le pouvez. Et je vous promets d'être aussi honnête que je le peux. De cette façon, nous aurons un dialogue. Un dialogue sincère est la meilleure façon de garantir la vérité.

Lorsque, durant mes cours, je dis que les aliments cuits créent une dépendance, les gens rient. Lorsque je dis que nous devrions former une association «Aliments Cuits Anonymes», les gens rient encore plus. Mais, en réalité, ce n'est pas drôle. La plupart des gens s'orientent vers l'alimentation crue pour des raisons sérieuses, comme moi, mon mari et mes enfants. Pour moi, manger des aliments crus signifiait choisir la vie plutôt que la mort. J'étais en train de mourir, j'ai commencé l'alimentation crue et je suis vivante, en bonne santé et heureuse. Je suis reconnaissante d'avoir eu le soutien de ma famille. Lorsque je voyais d'autres personnes essayer de devenir crudivores, je trouvais qu'il leur était difficile de maintenir l'alimentation crue sans soutien. Lorsqu'on prend la décision de s'alimenter au cru, on va à l'encontre de tout ce qui est considéré comme normal et «prévu» en matière d'alimentation.

Par compassion pour toutes les personnes qui ont eu des difficultés à maintenir un régime cru, j'ai élaboré, avec l'appui de ma famille, le programme des douze étapes. J'ai essayé ces étapes pendant une année avant de publier ce livre. J'ai enseigné *Les 12 étapes vers une alimentation crue,* qui considère les aliments cuits comme une source de dépendance. Les élèves qui ont suivi ce programme s'en tiennent à une alimentation 100 % crue avec succès. Ils ne sont plus tentés par les aliments cuits. Aucun. *Les 12 étapes* aide donc les gens à maintenir un régime cru, peu importe ce qui arrive.

PREMIÈRE PARTIE

Pourquoi manger cru ?

CHAPITRE I

Vie et énergie

L es gens qui discutent d'alimentation crue parlent habituellement d'enzymes. Les enzymes sont l'énergie. Les enzymes sont la vie. Nous ne pouvons pas voir les enzymes à l'œil nu, mais nous pouvons voir la vie et l'énergie qui résulte de l'action des enzymes. Par exemple, si je prends deux amandes, une crue et l'autre rôtie, et que je les plante dans la terre, après trois semaines l'amande rôtie sera désintégrée dans la terre. L'amande crue, elle, va demeurer là où je l'ai plantée. Au printemps, la neige des montagnes va fondre et l'eau va se déverser sur la terre, les inhibiteurs de l'amande cesseront d'être actifs, ce qui permettra de donner naissance à un bel amandier, qui lui-même donnera naissance à des centaines de belles amandes. Comme cet exemple le démontre, la différence entre une amande rôtie et une amande crue est ce qui distingue la vie et la mort. L'une a des enzymes et l'autre n'en a pas. L'une transporte en son sein le potentiel de la vie, l'autre a vu sa vie détruite par la cuisson. Si j'apportais deux amandes, une crue et une rôtie, à un scientifique pour lui demander des les analyser, il ne verrait aucune différence nutritionnelle entre les deux. Les deux présentent le même taux de calcium, de potassium, de sodium, de magnésium, de zinc et de cuivre, comme si elles étaient absolument identiques sur le plan nutritif. Cependant, comme l'exemple le démontre, l'une transporte la vie avec ses enzymes, tandis que l'autre ne peut le faire.

Afin de mieux comprendre comment les enzymes fonctionnent, voici une histoire. Par une belle journée de juin, vous marchez dans un verger. Vous cherchez des pommes, mais elles sont vertes et se cachent parmi les feuilles. Vous ne pouvez pas les voir facilement et elles n'ont même pas d'odeur. Vous revenez au verger en juillet. Les pommes sont rouges et elles sentent vraiment bon. Elles semblent vous appeler : «Regarde-moi, sens-moi, mange-moi.» Vous réalisez que, pour une pomme, être mangée par un animal ou un être humain signifie la continuation de la vie. Vous étirez le bras et choisissez une belle grosse pomme rouge. Vous en croquez une bouchée. Cette pomme est remplie d'enzymes vivantes. Pendant que vous profitez de la saveur et de la texture de la pomme, les enzymes (comme des petits bonshommes avec des valises remplies d'outils guérisseurs magiques) travaillent dans votre corps. Pendant que vous vous promenez, elles travaillent dans tout votre corps comme une équipe de guérisseurs, réparant ce qui est défectueux. Vous vous sentez bien et plein d'énergie parce que la pomme transporte en elle les enzymes nécessaires pour s'auto-digérer. Votre corps n'a pas besoin d'effort supplémentaire pour digérer la pomme. Plus tard, la pomme quittera votre corps sous forme de fertilisant et continuera de vivre. Vous avez participé au cercle de la vie. Tout est circulaire. C'est une loi universelle.

La fin de semaine suivante, vous retournez au verger et remplissez votre panier de pommes. Vous emportez les pommes à la maison afin de les cuire avec du caramel et de la cannelle, exactement comme le faisait votre grand-mère. Vous préparez votre plat et le placez dans le four afin de le faire cuire. Les pommes cuites sont jolies et sentent délicieusement bon. Ce plat a l'air aussi nourrissant que cette pomme que vous avez cueillie et mangée la fin de semaine précédente. Mais ce n'est pas vrai. Cette pomme a été cuite et les enzymes ont été détruites.

Vous prenez une bouchée de la pomme cuite et sucrée, au caramel et à la cannelle, ce qui stimule vos papilles et procure une sensation plaisante. Vous terminez votre assiette et vous allez vous allonger. Vous vous sentez un peu paresseux et fatigué. À l'intérieur de votre corps, vos propres enzymes doivent quitter leur travail, qui était peut-être de nettoyer le foie, vous protégeant de tumeurs et évacuant les toxines, pour venir digérer la pomme cuite qui ne dispose plus de ses propres enzymes. Quand cette pomme quitte finalement votre corps, dans les toilettes, elle est remplie de vos propres enzymes. Ces enzymes vous ont quitté pour toujours. Les aliments cuits ne contiennent pas d'enzymes vivantes; ils requièrent donc les enzymes de votre corps pour digérer les aliments. Ces enzymes quittent ensuite votre corps, vous privant d'enzymes que vous aviez auparavant. Le docteur Edward Howell, un nutritionniste reconnu, indique que l'Américain moyen, à l'âge de 40 ans, n'a plus que 30 % des enzymes qu'il possédait à l'origine. Nous pouvons toujours marcher, parler et penser à ce point, mais lorsqu'il ne nous reste plus que 30 % de nos enzymes et qu'en plus elles devront consacrer environ 75 % de leur énergie pour détoxiquer le corps, nous devenons moins sensible aux autres personnes et à nous-mêmes. Nous pouvons survivre physiquement, mais pas spirituellement.

La bonne nouvelle est que même s'il ne nous reste que 30 % d'enzymes, nous pourrons tout de même vivre cette partie de vie qu'il nous reste si nous nous dirigeons vers une alimentation crue et laissons notre corps se purifier lui-même.

Il y a beaucoup de confusion et d'incompréhension à propos des enzymes. En réalité, plusieurs nutritionnistes diplômés ne comprennent pas l'importance des enzymes dans l'alimentation. Si vous voulez avoir un régime approprié, vous devez obtenir toutes les explications nécessaires au sujet des enzymes. Voyons la différence entre un gras cru et un gras cuit. Pourquoi les gras existent-ils? Nous avons tous besoin de gras pour lubrifier nos yeux afin de voir, lubrifier notre peau afin qu'elle demeure douce et lubrifier nos cheveux. Nous avons besoin de gras pour lubrifier nos jointures afin qu'elles ne grincent pas comme une vieille porte de garage quand elles bougent. Nous ne pouvons pas obtenir ce gras vivant du lait pasteurisé, du beurre, de la crème sûre et des noix rôties parce que tous ces aliments sont cuits! Nous pourrions être vraiment obèses, mais manquer quand même de gras. Nos corps se désespèrent d'obtenir du gras cru vivant. Les meilleurs ressources de gras cru vivant sont l'avocat, la jeune noix de coco, le durion, les olives, les noix, les graines et l'huile d'olive extra vierge pressée à froid.

Je me souviens du temps où j'étais très obèse. Je pesais 55 kg de plus que maintenant. À cette époque, j'ai commencé à avoir grand faim d'avocats. J'étais capable de manger huit avocats par jour. Auparavant, je trouvais que ce fruit goûtait le savon. Lorsque j'ai commencé à manger des avocats, j'ai perdu du poids plus rapidement. C'est parce que l'enzyme dans le gras de l'avocat, la lipase, était capable de pénétrer mes dépôts de gras saturé, de les fractionner en plus petits morceaux et de les transporter hors de mon corps. N'est-ce pas merveilleux?

Un autre exemple est le calcium. Lorsque nous manquons de calcium, la publicité nous conseille de boire du lait pasteurisé. Vous avez sûrement vu l'annonce qui demande : «Vous avez du lait?» Or, lorsque nous avons besoin de calcium, la question la plus appropriée serait plutôt : «Vous avez votre herbe de blé?» ou «Vous avez votre lait de graines de sésame?» Premièrement, le lait de vache n'a pas été prévu pour la consommation humaine; il contient bien du calcium, mais il contient aussi des protéines très concentrées et produit du mucus à l'excès. Deuxièmement, le lait pasteurisé a été chauffé jusqu'à ce que l'activité enzymatique soit arrêtée. Les enzymes sont détruites, il n'y a plus de vie. Le corps absorbe seulement la coquille des molécules de calcium sans vie.

L'herbe de blé est la source de calcium pour la vache. Le corps humain la digère facilement parce que la molécule de chlorophylle et la molécule du sang humain sont pratiquement identiques. Les graines de sésame sont les plus riches en calcium parmi tous les autres graines et noix. Le lait de sésame est délicieux et peut remplacer facilement le lait de vache.

Comme je l'ai dit plus tôt, les enzymes sont vie et énergie. Nous sommes des êtres humains et nous sommes des êtres spirituels. Nous avons besoin d'énergie afin de bouger et de travailler, mais aussi d'aimer, de partager, de communiquer et d'être sensibles les uns envers les autres. Chaque fois que nous mangeons des aliments cuits, nous perdons des enzymes. Dans nos corps remplis d'aliments cuits, nos enzymes travaillent très fort. Parce que les aliments cuits ne possèdent pas d'enzymes, notre corps ne peut pas les utiliser. Ainsi le corps traite les aliments cuits comme des toxines et ne veut que s'en débarrasser.

Pouvons-nous regagner ces enzymes perdues? Il y a différentes opinions à ce sujet. Le docteur Howell dit que toutes les créatures vivantes ont un potentiel fixe et qu'elles ne peuvent pas se réapprovisionner en enzymes. Souvent les gens demandent s'ils pourraient refaire leur provision d'enzymes en prenant des suppléments. Je crois que nous ne le pouvons pas. Les suppléments d'enzymes vendus dans les magasins ne sont rien d'autre que des aliments crus déshydratés. Par exemple, les suppléments destinés à favoriser la digestion du steak de bœuf cuit sont faits de foie de bœuf cru déshydraté. Je comprends que le steak de bœuf cuit a un contenu nutritionnel différent du foie de bœuf cru déshydraté.

Pouvons-nous manger beaucoup de pommes et emmagasiner les enzymes? Je crois que nous ne pouvons pas absorber les enzymes d'une pomme et les garder dans notre corps. Elles entrent dans notre corps et font un certain travail pendant qu'elles sont là, mais elles n'y demeurent pas. Cette opinion est basée sur mon expérience et sur mes lectures, mais actuellement personne ne connaît l'exacte vérité à propos du réapprovisionnement en enzymes. Je peux vous dire que j'ai reconstruit ma propre santé, non pas parce que j'ai reçu des enzymes de l'extérieur, mais parce que j'ai sauvegardé mes propres enzymes en renonçant aux aliments cuits. Mes enzymes ne sont plus surchargées par le travail de digestion d'aliments cuits et je fais l'expérience d'une santé radieuse et d'une énergie abondante.

Je crois aussi que si nous suivons notre cœur et faisons ce que nous sommes appelés à faire dans cette vie, il s'ensuit que nous deviendrons des êtres spirituels dévoués et que l'univers nous allouera une ration supplémentaire d'énergie.

CHAPITRE II

Le corps humain
ne fait jamais d'erreurs

Nous devons tous faire confiance à notre corps. Je vous encourage à suivre votre intuition, à vous laisser guider par vos sentiments et à faire vos propres expériences. Je ne veux pas que vous fassiez quoi que ce soit parce que je le dis. Nous sommes chacun des individus uniques avec des besoins corporels différents. Nous sommes le meilleur expert de nous-mêmes. Si vous modifiez votre régime parce que Victoria l'a dit, cela ne durera pas. Ou vous persévérerez jusqu'à ce que le prochain «expert» vous présente une idée différente sur la santé. Je vous suggère de faire quelque chose seulement parce que vous sentez que c'est bien pour vous.

Il y a plusieurs bons enseignants dans le monde aujourd'hui. Imaginons que nous désirons suivre les suggestions de chacun de ces bons enseignants. Un nutritionniste nous conseille d'éviter de manger des fruits parce que les fruits contiennent du sucre qui peut conduire au cancer. Un autre nutritionniste populaire nous conseille de ne manger que des fruits et aucun légume. Par contre, un autre prétend que les agrumes et les légumes de la famille des aubergines causent de l'arthrite et vont ruiner vos os. Le docteur Hilton Hotema, qui a vécu jusqu'à l'âge de 100 ans, nous dit de ne pas manger de chou vert, de chou frisé ou des verdures parce qu'ils proviennent de la famille de l'opium et qu'ils sont toxiques. Une autre nutritionniste a écrit un livre sur les germinations dans lequel elle affirme que les germinations sont tellement toxiques que même les animaux ne les mangeront pas. Un brillant homme, qui est un ami, nous prévient de ne pas manger de grains car ils peuvent causer des dommages au cerveau. Les hygiénistes nous disent de ne pas manger des noix ou des fruits séchés parce que ce sont des aliments «concentrés». J'ai entendu un autre professeur d'aliments crus dire de ne pas manger de carottes, de navets ou de légumes racines parce que ce sont des hybrides et que le corps ne les reconnaît pas comme aliment. Si nous suivions les conseils de tous ces bons professeurs, nous resterait-il quelque chose à manger? Plutôt que d'être crudivore, je pourrais peut-être vivre de l'air du temps. Comme c'est déroutant! La seule solution est d'écouter votre propre corps.

Procédons à une expérience. Si nous nous rendions à un comptoir de fruits biologiques pour y choisir un fruit, quel serait ce fruit? Une pêche, une pomme, une orange, une figue, une papaye, une banane, des raisins, un avocat, une mangue ou des cerises? Est-ce que chaque personne qui lit ce livre choisirait le même fruit? Probablement pas. Nous sommes tous des individus. Votre corps sait ce dont vous avez besoin. Peu importe le fruit que vous choisissez, c'est ce que votre corps vous ordonne aujourd'hui. Demain votre corps peut vouloir le même fruit ou quelque chose de nouveau. Laissez votre corps vous diriger.

J'ai suivi mon corps pendant huit ans. Pendant ce temps, j'ai assisté à plusieurs excellentes conférences où les conférenciers contestaient le fait de manger tel type d'aliments ou de grains. Ce jour-là, j'avais un désir effréné de quinoa et j'ai dit au conférencier : «J'apprécie votre opinion et votre recherche, mais mon corps est le patron.» Lorsque mon corps dit qu'il veut du quinoa, j'en fais germer et je le mange. Qu'est-ce que je pourrais faire d'autre? J'ai besoin de suivre mon corps. Mon corps sait mieux que quiconque. Écoutez votre corps et suivez votre intuition pour votre santé et votre bonheur.

S'il vous plaît, faites confiance à votre intuition et ne commettez pas l'erreur de penser que quelqu'un d'autre connaît mieux votre corps que vous-même. Votre corps est si beau et si sage. De ses 35 trillions de cellules, chacune a sa propre âme et sa propre sagesse, et sait quoi faire. Imaginons-nous qu'une poussière tombe directement dans votre œil droit. Quel œil va cligner? Votre œil droit, évidemment. Votre œil gauche ne va pas cligner par mégarde, parce que votre corps ne fait jamais d'erreurs. Votre mère a mis au monde un bébé parfait. Nos corps sont parfaits. Lorsque nous commençons à donner des ordres à notre corps par-ci par-là et que nous n'écoutons pas notre propre sagesse, nous nous mettons les pieds dans les plats. Par exemple, culturellement, quelle est la réponse habituelle à une fièvre? L'aspirine. Vrai. Je crois que si mon corps a créé une fièvre, c'est que j'ai besoin d'une fièvre. Quand mon corps crée la diarrhée, le corps dit que j'ai besoin d'une diarrhée. Prendre des médicaments pour arrêter la diarrhée, c'est travailler contre la sagesse du corps. Notre corps ne fait jamais d'erreurs. Nous savons tous ce que nous avons besoin de faire si nous écoutons notre corps.

Deux mois après que ma famille se fut mise à l'alimentation crue, mes enfants commencèrent à avoir des envies furieuses de différents fruits. Sergeï demandait des mangues et des bleuets, Valya voulait des olives et des figues. Leurs envies étaient si fortes que j'ai dû me démener pour les contenter. Par exemple, j'ai donné à Sergeï une mangue. Il l'a mangée et en voulait encore. Je lui en ai acheté une caisse entière pensant qu'elle durerait une semaine. Il s'est assis et a mangé la caisse entière en un jour, peau et tout. Alors il dit «Je souhaiterais qu'il y ait plus de mangues» et je lui ai acheté une autre caisse de mangues. La même chose arriva avec les bleuets. Je lui ai acheté un sac d'un kilo de bleuets et il les a mangés en une seule fois. Valya aimait les figues. Elle demandait des figues fraîches, des figues séchées et des figues noires. Elle n'avait jamais assez de figues. Elle aimait aussi manger des olives. Durant nos voyages ce printemps-là, nous avons rendu visite à notre amie Marlene, qui avait un bel olivier. Il y avait des olives qui commençaient à pourrir au pied de l'arbre. Valya dit : «Je veux les essayer. Oh, elles sont délicieuses!» Je les ai essayées. Pour moi, elles étaient trop amères. Valya a tellement apprécié les olives qu'elles les a ramassées dans un sac en plastique pour les emporter.

Durant ce voyage, nous avons aussi rendu visite au docteur Bernard Jensen, un nutritionniste reconnu mondialement. Nous lui avons demandé ce que devait manger Sergeï pour son diabète. Il a consulté ses livres et nous a révélé que les meilleurs aliments pour le diabète sont les mangues et les bleuets. Youpi! Ensuite, nous lui avons demandé ce que Valya avait besoin de manger pour soulager son asthme. Il répondit : «Des figues et des olives.» Je lui ai dit que c'était exactement ce que nous demandaient les enfants. Le docteur Jensen m'a ensuite demandé quelles étaient mes envies, à moi. Je lui a dit que je ne savais pas parce que je mangeais toujours ce qui était en promotion.

De là j'ai compris que notre corps a des désirs effrénés pour certains aliments à cause de ses besoins. Les corps de nos enfants leur ont parlé bien avant que nos corps d'adultes ne le fassent. Quelques mois plus tard, Igor et moi avons ressenti de furieuses envies. Je me souviens qu'un jour j'ai eu une rage de petits oignons. J'ai soudainement *senti* des petits oignons partout. J'ai regardé le papier peint vert et j'ai pensé : «Je veux des petits oignons.» Je suis allée à l'épicerie et j'ai acheté dix bottes d'oignons verts. Ma rage d'oignons verts était si forte que, le temps de me rendre à la caisse, il ne m'en restait que neuf bottes. Je ne pouvais pas expliquer à la caissière étonnée pourquoi j'avais mangé une botte d'oignons verts non lavés entre le rayon des légumes et la caisse. J'ai payé les oignons verts, incluant ceux que j'avais mangés, et j'ai quitté l'épicerie en laissant la caissière perplexe, qui continuait à me regarder fixement. Je me suis rendue à la maison, j'ai mélangé les petits oignons avec des avocats et j'ai mangé cette salade en une seule fois. J'ai appelé le docteur Jensen et lui ai demandé ce qu'il pouvait me dire à propos de cette rage d'oignons verts. J'avais lu que les hygiénistes disent de ne pas manger d'oignons ou d'ail parce qu'ils irritent nos membranes muqueuses. Le docteur Jensen me dit que quelquefois, lorsque des personnes ont beaucoup de mucus dans leur corps, ils ont des rages de quelque chose comme des oignons pour les aider à dissoudre le mucus et à l'expulser.

N'avez-vous jamais eu des désirs effrénés de sucreries? Lorsque notre corps a besoin de calcium, nous avons furieusement envie de sucreries. Le calcium, à l'état naturel, a un goût sucré. Si nous plantons des fraisiers dans un sol riche en calcium, les fraises seront très sucrées. Parfois notre taux de calcium est si bas que nous devenons dépendants des sucreries. J'ai eu beaucoup de difficulté à me libérer des sucreries. Je n'en mangeais pas, mais chaque fois que j'entrais dans un magasin je devais me couvrir les yeux afin de ne pas les voir en me dirigeant vers le rayon des fruits et légumes. Si je jetais un œil sur les sucreries, je souffrais de la tentation d'en manger. J'en ai parlé avec un ami. Il m'a dit : «Victoria, ce n'est qu'une envie de calcium.» Il m'a recommandé de faire tremper des graines de sésame et de faire du lait de sésame, et d'en boire tous les jours pendant deux semaines l'estomac vide.

J'ai suivi ses instructions. Au début, j'ai fait du lait de sésame avec des graines de sésame et du miel. Après quelques jours, je ne voulais plus que le lait soit si sucré, alors j'ai ajouté moins de miel. Après une semaine, je ne voulais plus du tout de miel. Ensuite, j'ai voulu un goût plus amer, alors j'ai opté pour des graines de sésame brunes. Pendant deux semaines, je n'allais nulle part sans mon gros contenant de lait de sésame. Deux semaines plus tard, un autre ami m'a offert une datte madjool. J'adore les dattes madjool. J'en ai pris une bouchée, mais je n'ai pas été capable de l'avaler! C'était trop sucré pour moi. L'équilibre dans mon corps avait changé. Je ne voulais plus d'aliments sucrés, même pas les bonnes choses sucrées. Fantastique! C'était la saison des raisins cet été-là et je ne voulais pas de raisins. Le lait de sésame est le champion du calcium.

Lorsque Sergeï s'est cassé la clavicule, il fit une première crise de jus d'herbe de blé, mais la deuxième chose dont il eut un besoin impératif fut le lait de sésame. En arrivant à la maison après être sortie toute la journée, Valya me dit : «Parle-lui. Il m'exploite. Il me force à lui faire du lait de sésame toutes les 30 minutes. Je ne peux rien faire. Je ne peux pas faire mes devoirs, je ne peux pas aller jouer, il faut que je fasse du lait de sésame toute la journée pour cet individu!» C'est parce que Sergeï avait la clavicule cassée qu'il avait un besoin effréné de lait de sésame. Pendant sa convalescence, il n'eut pas besoin de physiothérapie. Des médecins nous avaient dit qu'il fallait habituellement huit à douze semaines pour guérir, mais Sergeï s'est rétabli beaucoup plus rapidement à cause du lait de sésame. En seulement deux semaines, son corps a produit une boule de calcium qui aide les os à se ressouder.

Si vous ne savez pas de quoi votre corps a besoin dans l'immédiat, faites ce que Valya faisait habituellement. Elle ouvrait le réfrigérateur et le congélateur, puis, immobile, elle se demandait : «Qu'est-ce que je veux?» Comme elle ne trouvait pas ce qu'elle voulait, elle fermait la porte. Elle savait qu'elle voulait quelque chose, mais elle ignorait quoi. Vous aussi avez parfois un goût de quelque chose que vous n'avez jamais essayé de votre vie. Si vous regardez divers aliments et qu'aucun ne vous semble attirant, c'est que vous avez besoin de quelque chose qui n'est pas là.

Pour vous aider à trouver l'objet de vos envies, vous pouvez acheter des fruits et des légumes que vous n'avez pas encore essayés. Ce qui fonctionne pour une personne ne fonctionne pas toujours pour tout le monde. Un jour je devais préparer un dîner pour 25 personnes. Je suis allée dans ma cour, où soudain les pissenlits m'ont semblé appétissants. J'ai décidé d'en essayer un. Il avait un goût de sucre et n'était pas du tout amer. J'ai pris un gros seau et je l'ai rempli de pissenlits. J'ai dit à mes invités que nous aurions un dîner spécial. J'ai mis six avocats et du jus de citron dans le robot culinaire pour faire une vinaigrette. J'ai versé la sauce sur les pissenlits et j'ai mélangé cette salade avec mes mains et mon amour. J'ai posé cette œuvre d'art sur la table. Mes invités ont essayé ce nouveau plat et se sont exclamés : «C'est si amer!» J'ai fini par manger toute seule ma nouvelle création. Le lendemain matin, je me suis levée et ma peau était toute jaune. Mon plat avait provoqué un grand nettoyage du foie. Auparavant, ma peau était blanche et terreuse. Depuis la fête aux pissenlits, j'ai les joues roses. Mon corps savait que j'avais besoin de pissenlits.

Le corps humain est si beau, mais nous le tenons pour acquis. Je veux vous dire quelques petites choses à propos de votre corps miraculeux. On m'avait dit à l'école que le sang est quelque chose comme de la peinture rouge; il flotte dans notre corps parce que la gravité le pousse vers le bas et que le cœur le pompe pour qu'il remonte; il continue de circuler vers le bas, puis le cœur le pompe de nouveau comme de la peinture rouge. Non! Le sang n'est pas de la peinture rouge. Le sang est une miraculeuse rivière de vie qui traverse des trillions de vaisseaux à une vitesse cosmique. Il ne circule pas seulement à cause de la gravité. Il va dans n'importe quelle direction nécessaire, se conformant à des lois universelles que nous ne pouvons même pas comprendre. Lorsque je me coupe au doigt, le sang lave et rejette les impuretés au dehors. Ensuite il forme un caillot et scelle la blessure. Une croûte apparaît et quand cette croûte se détache, j'ai de la nouvelle peau là où était la coupure.

Le corps humain est si fascinant. Prenez votre main par exemple. Cette main contient plus de 100 petits os. Ma main peut attraper une pomme, peler une banane, tirer les racines de la terre ou m'aider à grimper dans un arbre. Lorsque je mets ma main dans l'eau, l'eau ne pénètre pas ma peau; mais si mon corps a besoin de transpirer, je peux transpirer à travers ma main qui, il y a juste une minute, semblait à l'épreuve de l'eau. Notre corps est si miraculeux que nous devons être fascinés et reconnaissants pour chaque cheveu que nous avons sur la tête (avant que nous ne les perdions)!

Nos corps veulent que nous soyons beaux. Le corps de chaque personne veut être beau et en bonne santé. Qu'est-ce qui barre le chemin au corps? J'ai un jour pensé que j'étais malchanceuse parce que j'étais née avec un corps laid. J'ai déjà pensé que mon corps était tellement horrible. Il me maltraitait continuellement avec de la douleur et des boutons, et peu importe ce que je mangeais, je gagnais du poids. Depuis que je suis crudivore, j'ai perdu 55 kg. J'ai plus d'énergie que je n'en ai jamais eue dans ma vie. Maintenant je peux courir, sauter et jouer. J'aime mon corps. Cependant, c'est le même corps qu'il il y a huit ans. Le même corps que je trouvais laid et qui me causait de la douleur. Le même corps que je me trouvais malchanceuse d'avoir. Qu'est-ce qui a changé? J'ai réussi à mettre mon éducation[1] de côté. J'ai commencé à écouter mon corps plutôt que ma tête. Je mange des aliments crus parce que c'est ce dont mon corps a besoin. La seule assurance pour être en bonne santé est d'apprendre ce que veut notre corps et ce dont il a besoin. Nos corps veulent que nous soyons beaux et en bonne santé. Tout ce que nous avons à faire est d'écouter les intuitions de notre corps et de les suivre.

[1] Victoria s'est permis un jeu de mot en anglais en utilisant *headucation,* littéralement «éducation de la tête» ou conditionnement (ndt).

CHAPITRE III

La loi de
l'adaptation vitale

L e corps de chacune des créatures vivantes se consacre à la survie de son propriétaire ou de l'esprit qui vit à l'intérieur. Le corps fait tout ce qu'il peut pour se protéger afin de perpétuer l'espèce, peu importe l'obstacle. Face au choix d'être blessé et probablement tué ou de survivre, le corps choisit toujours la survie. C'est ce qu'on appelle la loi de l'adaptation. Voici quelques exemples d'une telle adaptation.

Toute créature vivante s'adapte à son environnement. Par exemple, la fourrure des lapins, qui est brune en été, se mue en blanc en hiver. Ce changement permet au lapin de se camoufler dans les champs en été et dans la neige en hiver. Et ce camouflage augmente les chances de survie du lapin contre les prédateurs. Si, le matin, nous passons sous une douche très chaude, il est probable que nous serons ébouillantés. Mais si l'eau est modérément chaude et qu'ensuite nous augmentons sa température graduellement, elle pourra devenir vraiment chaude sans que nous en ressentions d'inconfort. Le corps humain s'adapte à cette augmentation graduelle et nous n'éprouvons pas de sensation de brûlure. Après avoir passé l'hiver dans des chaussures, nos pieds se blessent lorsque nous marchons pieds nus dans le gravier au printemps. Cependant, à la fin de l'été, nos pieds se sont endurcis et il est facile de marcher sans douleur dans le gravier. Les micro muscles de nos pieds sont devenus plus forts et, lorsque nous avançons dans le gravier, le pied épouse la forme des petits cailloux qui composent le gravier. Notre corps s'est adapté pour prendre soin de nous.

Cette petite expérience ne vous est-elle jamais arrivée? Un jour, vous circulez dans la ville et vous trouvez immobilisé dans le trafic. Vous allumez la radio pour vous aider à passer le temps. Le lendemain matin, vous vous levez tôt pour le travail et vous montez silencieusement dans votre automobile, vous tournez la clef dans le démarreur et auugh! la musique est si forte qu'elle vous fait mal aux oreilles. Comment cela est-il arrivé? La réponse est intéressante. Lorsque vous étiez en ville, votre ouïe s'était adaptée au bruit du trafic. Vous êtes alors devenu sourd, peut-être dans une proportion de 20%. Votre corps s'est adapté au bruit, puis vous êtes rentré à la maison dans votre quartier tranquille et vous avez dormi. Votre corps s'est réadapté à la tranquillité de votre maison, mais pas la radio de votre voiture.

Si nous rencontrons quelqu'un qui n'a jamais bu d'alcool, par exemple un enfant en bonne santé ou un aborigène australien végétarien, et que nous lui donnons un seul verre de vodka, cette personne pourrait mourir d'un empoisonnement à l'alcool. À l'inverse, les hommes russes se sont adaptés à l'ingestion d'alcool. Dans *Man's Higher Consciousness (La Conscience supérieure de l'homme)* du docteur Hilton Hotoma, j'ai pris connaissance d'une expérience conduite par Claude Bernard avec des oiseaux. Si un oiseau est placé sous une cloche de verre dont le volume d'air lui permet de vivre trois heures et si on le retire après deux heures, alors qu'il lui reste encore une heure d'oxygène, et qu'on le remplace par un autre oiseau en bonne santé, ce dernier va mourir aussitôt. C'est que le second oiseau n'est pas adapté à la réduction d'oxygène. L'oiseau qui a survécu deux heures s'est adapté lentement au changement d'oxygène, ce qui lui permettrait de survivre encore une heure. Le second oiseau n'a pas eu le temps de s'adapter, le changement est trop brusque.

Le corps s'adapte donc pour survivre. Nos corps ont dû s'adapter à plusieurs forces extérieures et à divers stimuli afin de survivre. Pensez à tout ce à quoi nous les humains avons dû nous adapter: les radiations émanant des micro-ondes, le port de lunettes, le port de chaussures, la pollution par le bruit, la pollution de l'air, aller à l'école, l'eau chlorée, la violence, les pensées violentes, la température constante dans la chambre, la télévision, la musique, le manque de sommeil, les beignets, le manque d'exercice, les mauvaises habitudes alimentaires, l'éclairage électrique, le stress, les médicaments, la conduite automobile, les vêtements synthétiques, vivre seul, les aliments artificiels, les vitamines synthétiques et toutes sortes d'autres phénomènes. Lorsque notre corps s'adapte à quelque chose, nous le payons de notre santé. Nous payons en termes d'énergie et de longévité.

Que nous faut-il pour améliorer notre espérance de vie et avoir plus d'énergie maintenant? Être plus près de la nature. Rester heureux. Mettre un terme aux pressions. Arrêter le stress. Coucher dehors. De temps en temps avoir froid, être mouillé en plein air et grelotter. Faire un voyage de camping. Nous pouvons changer ce que nous mangeons. Nous pouvons commencer un régime d'alimentation crue. Tout ça est possible.

Si les aliments cuits ne sont pas la source nutritionnelle idéale pour nos corps, comment se fait-il que nous en soyons arrivés à consommer de 90 à 95 % d'aliments cuits? Notre arrière, arrière, arrière, arrière, arrière, arrière-grand-père était crudivore, il y a 2000 à 5000 ans. J'imagine qu'un jour il y a eu un gros incendie dans la forêt et que tous les tubercules, les plantes et les graines sont passés au feu. Il n'y avait plus rien à manger. Comme sa famille était affamée, notre ancêtre se rendit dans la forêt brûlée et y trouva un morceau de viande de chevreuil cuite. Il pensa : «Manger ceci est inconnu, mais c'est mieux que mourir de faim!» La viande cuite fut donc rapportée à la maison et mangée. Tout le monde convenait qu'il était préférable de changer de régime plutôt que d'être affamé. Les corps, en réaction à cette substance étrangère, avaient le choix de rejeter l'aliment cuit et de mourir d'inanition ou de s'adapter à l'aliment cuit et de vivre. Les corps se sont donc adaptés.

Comment le corps s'adapte-t-il aux aliments cuits? Il produit du mucus qu'il utilise comme filtre. Toutes les parois du système digestif qui sont destinées à absorber les nutriments provenant de l'aliment se couvrent d'une pellicule de mucus qui protège le sang des toxines. La pellicule de mucus commence au niveau de la langue et continue son chemin vers les intestins. Plusieurs personnes peuvent voir ce mucus sur leur langue. Les personnes dont les intestins sont recouverts d'un mucus épais présentent habituellement une langue blanche comme s'ils venaient de manger de la crème sure. Le corps produit d'abord un peu de mucus pour filtrer les toxines des aliments cuits. Plus nous consommons d'aliments cuits, plus le corps produit du mucus en guise de protection. Et plus les substances dans les aliments sont dangereuses pour le corps, plus la pellicule de mucus s'épaissit. Au fil des années, le mucus devient de plus en plus épais et dur.

Notre corps produit du mucus pour la première fois lorsque, bébé, nous mangeons nos premiers aliments cuits. Quand nous mangeons des aliments cuits pour la deuxième fois, les toxines des aliments ne pénètrent pas complètement le corps à cause de la protection du mucus. Mais vous devez vous demander : de quoi est fait le mucus? Le corps humain, ingénieux comme toujours, produit le mucus à partir des aliments cuits eux-mêmes! Ce mucus recouvre entièrement notre système digestif afin d'empêcher notre corps d'absorber les toxines des aliments cuits qui le rendraient malade.

Parce que nous avons peur de la salmonelle, de la bactérie E. coli ou d'autres bactéries, nous cuisons, pasteurisons et irradions tout. Les aliments sont maintenant très transformés et préemballés. Nous mangeons beaucoup d'aliments cuits et nos corps produisent beaucoup de mucus.

Les naturopathes appellent ce mucus dans nos intestins *plaque mucoïde*. Cette plaque ressemble à un boyau caoutchouteux vert d'à peu près 25 mètres de long. À cause de la plaque mucoïde, l'assimilation des nutriments est faible. La plaque mucoïde empêche l'absorption des toxines, mais aussi celle des nutriments. Plus il y a de mucus, moins pouvons-nous absorber de nutriments! Après un certain nombre d'années de régime cuit, nous développons de sévères déficiences nutritionnelles, nous devenons affamés et nous sommes mal nourris.

Nous devenons affamés, de plus en plus affamés. Nous en venons au point, comme je l'ai fait il y a huit ans déjà, où lorsque nous quittons la table, nous avons faim encore. Nous avons faim en permanence parce que notre corps est désespéré, avide de nutriments. Nos cellules crient pour réclamer les 120 minéraux dont nous avons besoin. Elles demandent du sodium et du magnésium, ainsi que du cuivre et du zinc. S'il vous plaît, je veux du potassium! Nous avons faim constamment de quelque chose, mais seul un petit pourcentage de ce que nous mangeons peut être assimilé.

Lorsque nous commençons à manger des aliments crus et que nous demeurons crudivores, la plaque mucoïde commence à se dissoudre. Lorsque le temps sera opportun, le corps va la dissoudre. Plus nous mangeons des aliments crus, plus la plaque se dissout. Si nous mangeons cru à 100 %, la plaque va disparaître complètement et le taux d'assimilation des aliments va augmenter. Lorsque nous décidons de manger cru à 100 %, nous n'avons pas besoin d'envoyer un télégramme à tous nos organes annonçant le changement. Notre corps entend le message et il commence à changer immédiatement et à célébrer. Il dit : «Hé! Il (ou elle) a décidé de manger cru. Avez-vous entendu? Il (ou elle) a décidé de manger cru à 100 %!»

Le tableau suivant montre que le pourcentage de nutriments que notre corps assimile varie selon la proportion d'aliments cuits et d'aliments crus que nous mangeons. Je ne prétends pas que ce tableau est scientifique, mais je sais qu'il dit vrai. Ce ne sont pas des chiffres précis, mais ces chiffres ont un certain bon sens, et si jamais vous mangez des aliments crus, vous aussi saurez qu'ils sont vrais.

Pourcentage de nutriments assimilés selon la proportion cru/cuit dans un régime alimentaire

% d'aliments crus	% d'aliments cuits	% de nutriments assimilés
5	95	0,03
10	90	0,06
25	75	0,1
50	50	0,3
75	25	1,0
99	1	3,0
100	0	30,0

J'aimerais expliquer ce tableau en donnant un exemple. Jim, le personnage principal, qui a entre 40 et 50 ans, ne mange que très peu d'aliments crus. Il a toujours faim parce qu'il n'absorbe pas assez de nutriments. Il a une grosse bedaine parce qu'il mange beaucoup pour essayer de satisfaire la faim dans son corps. Il a un dos fragile à cause de sa grosse bedaine et il est toujours fatigué. Le régime alimentaire de Jim n'est cru qu'à 5 %. À ce stade, le corps de Jim n'assimile approximativement que 0,03 % des nutriments qui se trouvent dans les aliments. Disons que Jim est devenu très, très malade. Il se rend à un magasin d'aliments naturels et apprend qu'il pourrait aller mieux s'il suivait un régime végétarien. Il ajoute beaucoup d'aliments frais à son régime et renonce à la viande. Il consomme maintenant 25 % d'aliments crus et 75 % d'aliments cuits. Son pourcentage d'assimilation a triplé à 0,1 % c'est-à-dire un dixième de un pour cent. Il commence à se sentir mieux et il a un peu plus d'énergie. Il fréquente de nouveaux amis qui sont aussi végétariens. L'un d'eux l'invite à participer à un repas partagé d'aliments crus, où chacun apporte des plats. Jim est si impressionné par les plats et leur présentation qu'il augmente sa consommation d'aliments crus à 50 %. Le pourcentage d'absorption des nutriments atteint maintenant 0,3 % ou trois dixièmes de un pour cent. C'est beaucoup puisque c'est dix fois plus qu'auparavant. Jim perçoit la différence. Il commence à se sentir bien. Il participe chaque semaine à un repas partagé et il augmente la part des aliments crus à 75 %, réduisant par le fait même celle des aliments cuits à 25 %. Il assimile maintenant 1 % de nutriments. Un pour cent c'est beaucoup, c'est un bon chiffre, c'est 30 fois plus que ce qu'il était habitué d'absorber. Il commence à ressembler à un homme intéressant. Jim s'était fait à l'idée qu'aucune femme ne le regarderait plus, parce qu'il devenait vieux et souffreteux. Maintenant il a l'air en santé, il a l'air plus jeune et ses couleurs sont revenues.

Jim commence à lire un tas de livres sur l'alimentation crue et il entreprend même de donner un cours d'alimentation crue. Il consomme maintenant 99 % d'aliments crus et 1 % d'aliments cuits. Son taux d'assimilation est monté à environ 3 %. Il est tellement en bonne santé maintenant qu'il paraît 10 ans plus jeune. Il a beaucoup d'amis et il est très sociable. Tout le monde l'aime. Nous avons retrouvé Jim quelques années plus tard. Il avait lu plusieurs livres sur l'alimentation crue, il avait participé à toutes les réunions possibles et aux cours offerts sur l'alimentation crue. Un matin il se réveille et il entend une petite voix qui lui dit de laisser tomber les aliments cuits une fois pour toutes et de passer à un régime total d'aliments crus. Il se décide. Après deux à trois mois de consommation exclusive d'aliments crus, son taux d'assimilation est passé à 30 % : un bond considérable de 3 % à 30 % en seulement deux à trois mois. Pourquoi le passage de 99 % d'aliments crus à 100 % cause-t-il une si grosse différence dans le taux d'assimilation? Ce 1 % est significatif parce que la défense de son corps contre les aliments cuits est maintenant diminuée. Jim mange seulement une fois par jour, soit un petit bol de salade, et c'est tout. Il n'a besoin que d'un petit bol, parce que son taux d'assimilation s'élève à 30 %. Souvenez-vous que lorsqu'il en était à 95 % d'aliments cuits, il mangeait beaucoup pour nourrir son corps affamé. À ce moment-là, son taux d'assimilation n'était que de 0,03 %. Maintenant, avec un régime d'aliments crus à 100 %, il assimile 30% des nutriments. C'est pourquoi il n'a besoin que d'une petite quantité d'aliments. C'est assez pour cet homme. Je mange aussi peu. C'est également la quantité que mon mari mange. Et c'est ce que mes enfants mangent.

Lorsque mon fils Sergeï, qui a 16 ans, va faire de la planche à neige, il part à 6 heures 30 le matin et rentre à la maison à 19 heures. Il emporte deux oranges biologiques pour manger à bord du car qui fait la navette. Il en mange une à l'aller et l'autre sur le chemin du retour. C'est suffisant parce qu'il assimile 30 % des nutriments. Sergeï dit que ses amis de planche à neige vont parfois chercher leurs sacs à lunch pour boire du chocolat chaud et manger des sandwichs parce qu'ils ont faim. Ils ont faim, ils connaissent des baisses d'énergie et ils doivent manger. Pendant ce temps, Sergeï fait de la planche à neige toute la journée et il n'est jamais fatigué; tout cela avec deux oranges! Le secret réside dans son taux d'assimilation de 30 %, alors que les copains doivent se contenter d'un taux entre 0,03 % et 0,1 %.

Revenons à Jim. Pourquoi le dernier changement de 1 %, (passer de 99 % à 100 % d'aliments crus) a-t-il fait une si grosse différence dans le taux d'assimilation? J'ai trouvé la réponse à cette question dans la documentation des Alcooliques Anonymes (AA). Lors des réunions, on incite les alcooliques à rester abstinents à 100 %. S'ils disent qu'ils le sont à 99 %, on leur répondra qu'ils ne sont pas abstinents. Les membres des AA ont noté depuis longtemps qu'arrêter à 99 % ne fonctionne jamais. Si quelqu'un veut cesser de boire, il doit faire le «cold turkey[2]», c'est-à-dire s'abstenir à 100 %. Ce dernier 1 %, même s'il est très petit, maintient le corps adapté à l'habitude de boire.

On peut utiliser cette analogie pour les aliments cuits. Par exemple, le corps d'Andrew, qui mangeait du riz cuit depuis son enfance, s'est adapté à ce type de consommation sur les

---

[2] L'expression est ironique : *faire le cold turkey* signifie s'arrêter brusquement dans le cas d'un toxicomane, mais turkey (dinde) est aussi un aliment cuit que l'on peut servir froid (cold).

plans biochimique et psychologique. Un jour Andrew est devenu conscient que le riz blanc n'était pas sain pour lui. Il a décidé d'arrêter de manger du riz. Comme résultat, son corps a développé un besoin insatiable de riz cuit. Les besoins maladifs sont des attentes biochimiques et émotionnelles du corps. Le corps d'Andrew s'est habitué à recevoir des hydrates de carbone provenant du riz cuit. Andrew a commencé à consommer des hydrates de carbone provenant du maïs cru, de germinations et de carottes. Après deux mois, son corps s'est réadapté et son besoin insatiable de riz a cessé. S'il continuait à manger du riz, même en petites quantités, la réadaptation de son corps ne serait jamais complète et il continuerait de faire l'expérience d'un besoin insatiable de riz.

Par ailleurs, lorsque nous mangeons, disons une pomme de terre cuite, y a-t-il une marque sur la pomme de terre qui dit que c'est 1 %, que c'est 10 % ? Savons-nous toujours quand nous arrêter? Nos parents nous ont enseigné que nous devions finir nos aliments parce qu'il y a des enfants en Chine qui meurent de faim. Nous ne pouvons pas jeter des aliments partiellement consommés, nous devons les finir, même si c'est plus de 1 % d'aliments cuits.

Ainsi, lorsque nous allouons 1 %, nous laissons la porte ouverte à la tentation. Lorsque nous sommes dépressifs, avons faim ou sommes en colère ou fatigués, c'est là que nous nous suralimentons. C'est là que nous cédons en mangeant des aliments cuits, en buvant de l'alcool, en fumant ou en prenant des drogues. Laisser tomber le dernier 1 % d'aliments cuits dans un régime alimentaire, c'est fermer la porte à tous les aliments cuits. Et lorsque nous fermons la porte ainsi, nous la fermons aussi à la tentation.

Lorsque notre famille a commencé un régime d'aliments crus à 100 % il y a huit ans, note chère amie Judy a aussi entrepris un régime d'aliments crus. Mais elle est restée au cru à seulement 95 %. J'ai souffert durant deux mois pendant lesquels mon corps s'est adapté à un régime exclusif d'aliments crus. Après deux mois, je n'étais plus attirée par les aliments cuits. J'avais presque perdu mon appétit pour les aliments cuits. J'ai arrêté de porter attention aux restaurants, à l'odeur des mets ou à celle du café. J'ai vécu trois ans à Ashland, en Oregon et je ne connais même pas le nom d'un restaurant. Je connais trois magasins d'aliments naturels et je connais un comptoir de jus de fruits. Je ne porte attention à rien d'autre. Les aliments cuits ressemblent à du plastique pour moi, ils m'apparaissent immangeables. C'est comme ça que je me sens. Je ne suis pas tentée de manger des aliments cuits parce que ce ne sont plus des aliments pour moi.

Mon amie Judy souffre encore, cependant. Elle arrive à s'en tenir à un régime d'aliments crus pendant des semaines, puis des amis viennent la visiter et elle mange des aliments cuits. Elle dit : «Je m'en tenais à un régime d'aliments crus à 95 % depuis deux semaines, quand ma tante est venue me rendre visite et a fait un beau gâteau; je devais y goûter. Ensuite, j'ai recommencé à manger plus d'aliments cuits. J'ai échoué. J'ai reculé.» Elle dit aussi : «Tout allait bien jusqu'à l'Action de Grâces, mais j'ai décidé de faire relâche pour cette fête; il m'a fallu jusqu'à la deuxième semaine de février pour revenir à mon régime d'aliments crus à 95 %.» En laissant la porte ouverte aux aliments cuits, ma tendre amie Judy prolonge ses souffrances.

À 99 %, nous sommes encore dépendants et nous permettons tout ce que nous voulons. J'ai rencontré plusieurs personnes qui en sont arrivées à 99 % d'aliments crus et qui sont revenues complètement aux aliments cuits après des mois. Ce petit 1 % nous ramène inévitablement vers les aliments cuits. Ce que j'essaie de dire, c'est que couper brusquement le cuit est plus facile. Oui, vous aurez probablement à souffrir pendant deux mois, car les tentations vont être source de souffrance, mais, après deux mois, la vie vous sera plus facile.

Sortez toutes les tentations de votre maison (aliments cuits, aliments transformés, menus de livraison à domicile) et n'allez ni au restaurant, ni aux réceptions d'anniversaire, ni aux repas partagés de mets cuisinés pendant au moins deux mois. Aménagez-vous une zone de non-tentation. La façon la plus facile de passer au 100 % cru, c'est de faire le changement consciemment. Ne devenez pas crudivore avant de vous sentir complètement prêt.

Lorsque vous comprendrez que nous sommes dépendants des aliments cuits, vous voudrez maintenir un régime à 100 % cru. Je connais quelques personnes qui ont compris que l'alimentation crue est bonne, qui sont devenues crudivores et qui se sont maintenues à ce régime aussi longtemps que six mois, mais à certains moments elles ont eu faim, ou elles se sont senties seules, déprimées ou fatiguées, et elles sont revenues vers ce qui leur était familier, les aliments cuits.

CHAPITRE IV

La bactérie, mon animal
favori dans le monde

J e veux partager avec vous ma fascination et mon estime pour la bactérie. Peut-être votre respect à son endroit va-t-il grandir après avoir lu ce chapitre! La bactérie est le plus grand recycleur au monde. S'il vous plaît, pensez à ceci : en transformant toutes les matières organiques mortes dans la terre, la bactérie recycle les déchets inutiles dans la source originelle de tous les éléments. La bactérie est unique, elle est petite et énorme en même temps. Plus petite que n'importe quelle cellule vivante, la bactérie peut augmenter instantanément sa puissance en se multipliant des millions de fois. La bactérie est une brillante invention de Dieu et un cadeau pour nous tous. Nous essayons constamment de détruire le plus de bactéries possible parce que nous ne comprenons pas son utilité sur la Terre. Imaginons la vie sans bactérie. Il y aurait des roches mais pas de terre dans laquelle faire pousser des aliments. Tous les arbres morts, les animaux, les oiseaux, les insectes, les serpents, les corps humains et autres matières organiques seraient empilés en de grosses montagnes. Quel fouillis cela serait!

Dans un cadre naturel, la bactérie, associée au cycle de décomposition, ne génère aucune odeur. Difficile à croire? Dans la forêt, personne ne ramasse les feuilles, personne n'enterre les animaux, tout est laissé au grand air. Les crottes des animaux et des oiseaux restent là où elles sont tombées. Vous seriez porté à penser que la forêt sentirait vraiment mauvais. Mais laissez-moi vous demander, la dernière fois que vous êtes allé en forêt, est-ce que ça sentait mauvais? Je parie que votre réponse est non. En fait, lorsque nous allons en forêt, nous respirons et disons : «Ah! Ça sent si bon!» Si l'action des bactéries agissant sur les matières organiques n'engendre aucune odeur dans l'habitat naturel de la forêt, pourquoi associons-nous pourriture et odeur? Pourquoi, dans le monde civilisé, les bactéries commencent-elles à sentir mauvais? C'est parce qu'elles ont de la difficulté à recycler ce que nous créons. Pour mettre à l'épreuve cette affirmation, vous pouvez faire cette expérience. Mettez des fruits et des légumes crus (les rebuts) dans un bac à compost. Vous allez remarquer qu'ils se décomposent et se désintègrent sans mauvaise odeur. Maintenant, ajoutez au compost quelques aliments cuits tels des nouilles cuites, de la soupe au poulet ou des pommes de terre en purée. Après quelques jours, vous allez remarquer une odeur émanant de votre compost. L'odeur sera si désagréable que les voisins vont appeler la police. Vous serez incapable de la tolérer. Vous allez devoir recouvrir de terre le compost à cause de l'odeur insupportable. Or, celle-ci provient des bactéries qui essaient de décomposer les aliments cuits.

Il est aussi intéressant de savoir que les bactéries ne touchent jamais à ce qui est encore vivant. Par exemple, les bactéries ne touchent pas aux séquoias, ces arbres gigantesques pourtant vieux de 1000 à 2000 ans. Aussitôt que les arbres meurent cependant, les bactéries y emménagent pour retourner l'arbre à la terre. Les bactéries peuvent distinguer ce qui vit de ce qui est mort et elle ne s'intéressent qu'à la matière morte.

Dans la nature, nous constatons que la mousse, le gui et le lichen ne vivent pas aux dépens d'arbres en bonne santé. Dans un jardin biologique où la terre est bien équilibrée, les limaces ne viennent pas. Les vers ne mangent pas les tomates en bonne santé. De façon similaire, les bactéries et les parasites ne vivent pas de chair en bonne santé. Or, nous, humains, avons rompu notre équilibre organique intérieur en mangeant des aliments cuits.

Les bactéries peuvent-elles causer des maladies chez les humains? Oui et non. Oui si notre corps est rempli de déchets toxiques. Non si notre corps est sain à l'intérieur. La bactérie ne s'intéresse pas à nos muscles, à notre cœur, à nos yeux ou à notre cerveau, elle se préoccupe seulement de recycler les toxines de notre corps. Plus nous accumulons de déchets et de matières toxiques dans notre corps, plus nous attirons la bactérie. C'est pourquoi les personnes qui mangent surtout des aliments cuits attrapent des infections si facilement. Si vous avez peur des maladies infectieuses, la meilleure chose que vous pouvez faire est de garder votre intérieur propre. Manger des aliments crus est une bonne façon d'y parvenir.

La même chose s'applique à n'importe quel parasite. Si nous gardons notre corps propre, en bonne santé et pur, les parasites s'en tiendront loin, car ils ne pourront en vivre; même les moustiques ne nous piqueront pas. Un jour, notre famille est allée faire de la bicyclette au Minnesota, où le moustique tient lieu d'oiseau emblème étatique. Dans le Boundary Waters Wilderness, les gardes forestiers devaient porter des moustiquaires autour de leur tête; or, nous n'avons pas souffert d'une seule piqûre. Nous étions cinq en tout, tous à l'alimentation crue à 100 %. Durant les cinq nuits de notre séjour, nous n'avons même pas monté notre tente. Nous n'avons pas été piqués. Nous avons cru entendre ces moustiques se murmurer : «Ce sont d'étranges personnes. Elles sont alcalines. Pouah!»

Tous les parasites délaissent le corps humain lorsqu'il devient propre. Voici un exemple pour illustrer ce phénomène. Juste après avoir commencé à manger cru, nous avons lu un livre au sujet des parasites que les humains abritent dans leur corps. Nous étions si effrayés à la pensée de ces parasites que nous avons décidé de faire une opération de nettoyage familial pour nous en débarrasser. Pendant dix jours, nous avons absorbé des tablettes précisément destinées à éliminer les parasites du corps. Deux mois plus tard, nous avons passé un test sanguin et avons constaté que les parasites étaient revenus. Le nettoyage par comprimés nous avait laissés propres pendant seulement deux mois. Un an et demi plus tard, alors que nous suivions tous un régime d'aliments crus à 100 % en permanence, nous avons repassé le même test sanguin. Notre sang était parfait. Il n'y avait aucun parasite. Notre sang était composé seulement de cellules sanguines, des rouges et des blanches. C'est tout ce qu'il y avait. Il n'y avait pas de bactéries. Nous étions propres.

Lorsque nous observons le sang d'une personne qui mange des aliments cuits, nous pouvons habituellement y voir beaucoup de bactéries flottant entre les cellules sanguines. Un jour, j'ai invité dans ma classe un spécialiste des analyses de sang vivant pour faire une démonstration. Il a pris des échantillons de trois volontaires. L'un d'eux était un jeune homme de 19 ans. Son sang était si infiltré de parasites et de bactéries qu'il en était gêné! Il dit : «Mais je prends ma douche tous les jours.» J'ai répondu : «Ne sois pas gêné, les parasites et les bactéries dans ton sang n'ont rien à voir avec le nombre de douches que tu prends. Parle-nous plutôt de ton style de vie.» Il dit : «Oh, je me porte mieux maintenant.» Nous lui avons dit : «Relaxe-toi et dis-nous ce que tu manges. Quelles sont tes habitudes? Comment as-tu vécu les 19 années de ta vie?» Il dit : «J'ai pris de la drogue, j'ai bu de la bière, j'ai été diagnostiqué séropositif, on m'a aussi trouvé un cancer des testicules, je fumais de la marijuana, j'ai mangé des cochonneries (la pizza était mon mets préféré) et je n'ai jamais aimé la salade.» Nous pouvions voir tout ça dans son sang.

Peu importe combien de fois nous nous lavons à l'extérieur, à l'intérieur nous pouvons être très infectés. La bactérie sait tout de suite où sont les toxines. La bactérie se consacre entièrement à son travail. Sans douleur (Dieu merci c'est petit!), la bactérie pénètre à l'intérieur du corps humain et dans les cellules, et elle commence son travail. Elle aide notre corps à se débarrasser des toxines.

Ce que je sais en toute certitude, c'est que les gens qui mangent des aliments crus n'ont pas de parasites ou de bactéries nocives. Les gens qui ont passé des tests médicaux et à qui on a dit qu'ils avaient des parasites peuvent s'en débarrasser en adoptant un régime d'aliments crus à 100 %. Les médecins sont surpris lorsque les parasites disparaissent parce que, initialement, c'est difficile de s'en débarrasser (les parasites existent sous toutes sortes de formes et à différentes étapes, et si on les tue à une étape quelconque, une autre étape va leur permettre de continuer à se développer). Lorsque nous commençons à manger des aliments crus, notre corps se débarrasse lui-même des toxines. Les parasites, qui n'ont plus rien à manger, s'en vont.

CHAPITRE V

Se guérir
par la désintoxication

L es premiers aliments cuits que nous avons mangés comme bébé ont produit le premier mucus dans notre corps. Une partie de ce mucus a été utilisée pour fabriquer une pellicule le long du système digestif pendant que l'excès de mucus était accumulé dans l'endroit le plus commode, les poumons. Le mucus n'est pas censé rester de façon permanente dans les poumons, car ceux-ci disposent d'un mécanisme, similaire au péristaltisme, qui permet de l'évacuer. Cela ressemble à des millions de petits doigts sur la surface des poumons qui travaillent comme un convoyeur pour expulser le mucus. Ce mécanisme rejette des parties de mucus hors des poumons, ce qui les conduit jusqu'au nez; c'est pourquoi bébé a le nez qui coule. Lorsque nous nourrissons un bébé avec des aliments générateurs de mucus, le nez du bébé coulera tout le temps que son corps essaie de faire sortir le mucus. Ce processus est parfaitement acceptable, car naturellement, tout l'excès de mucus est évacué à travers le nez du bébé et les poumons restent dégagés. Mais que faisons-nous lorsque nous voyons le nez qui coule? La réaction typique est : «Hon! Mon bébé a le nez qui coule. La peau est déjà irritée. Il a des rougeurs autour de son pauvre petit nez. J'ai besoin d'aider mon petit. Je vais l'emmener chez le docteur.» Le médecin prescrit des gouttes pour le nez. Nous nous sentons mieux parce que nous avons fait ce qu'il fallait pour aider notre bébé.

J'affirme que les gouttes pour le nez ne sont pas nécessaires. Le bébé n'a pas besoin de gouttes pour le nez. Ces gouttes sont toxiques. Si toxiques que le corps arrête d'expulser le mucus hors des poumons et commence à se concentrer sur la manière de se débarrasser des toxines provenant des gouttes pour le nez. Ainsi, le corps arrête son processus de nettoyage, le nez arrête de couler et le mucus reste dans les poumons. Nous regardons notre bébé et disons : «Oui, ces gouttes pour le nez ont fonctionné. Mon bébé est bien.» Mais nous ne réalisons pas que le nez a arrêté de couler parce que le corps concentrait toute son énergie à évacuer les gouttes toxiques. Un nez rouge et coulant n'est pas aussi dangereux que des poumons remplis de mucus et d'un corps affaibli par les gouttes toxiques pour le nez. Pendant ce temps, la couche de mucus s'épaissit et le corps emmagasine l'énergie pour chasser le mucus des poumons. Lorsqu'il aura accumulé assez d'énergie, il recommencera à évacuer le mucus à nouveau.

Ainsi, à peu près trois mois plus tard, le nez de bébé va recommencer à couler. Que faisons-nous? Nous pensons : «Son nez recommence à couler, il est préférable que je rappelle le docteur.» Nous remmenons le bébé chez le médecin, qui nous dit qu'il faut des gouttes pour le nez plus fortes cette fois-ci parce qu'il y a plus de mucus et que ce mucus est plus concentré, ce qui provoque une enflure des amygdales. Le mucus produit également une voix rauque, parce qu'il traverse la trachée et couvre les cordes vocales.

Le nouveau médicament est si toxique que le corps arrête son processus de désintoxication et concentre son énergie à s'en débarrasser. Il faudra encore quelques mois pour que le corps du bébé accumule l'énergie requise par un nouvel effort de désintoxication.

Pensez-y une minute. Quand avez-vous plus d'énergie qu'à l'habitude? Vous avez plus d'énergie lorsque vous prenez des vacances ou durant la fin de semaine lorsque vous vous détendez. Quand êtes-vous malade habituellement? N'avez-vous jamais dit : «Ça ne rate jamais, j'ai quelques jours de congé et je tombe malade?» Lorsque votre corps reçoit un surplus d'énergie, il se hâte de l'utiliser. Votre corps utilise cette énergie pour se désintoxiquer. C'est pourquoi nous avons tendance à être malades lorsque nous avons du temps libre.

Se guérir par la désintoxication

Pour accélérer la suppression des toxines, le corps produit de la fièvre. La fièvre n'est pas simplement une hausse de température du corps, c'est un processus complexe qui requiert temps et énergie. Pour produire de la fièvre, le corps a besoin de travailler dur. Il doit augmenter les battements du cœur de 20 à 30 par minute. Toutes les glandes hormonales doivent faire du travail en surplus. C'est pourquoi nous nous sentons si fatigués. Pour conserver l'énergie destinée à la digestion des aliments, le corps crée une condition de non appétit. La langue se recouvre d'une couche épaisse de mucus afin que nous ne puissions plus goûter; le nez se bouche afin que nous ne soyons pas tentés par l'odeur de la nourriture; les amygdales enflent afin qu'il soit difficile d'avaler. Qu'arrive-t-il lorsque le corps a de la fièvre? Il va transpirer afin d'évacuer le mucus à travers les pores. Vous souvenez-vous de cette transpiration particulièrement collante et odorante qui se produit lors d'une forte fièvre? Le mucus se liquéfie et le nez se met vraiment à couler.

Nous réagissons habituellement à la fièvre en prenant une aspirine. Pourquoi? Nous ne souffrons pas d'une insufisance d'aspirine, car l'aspirine est constituée en grande partie de soufre et le soufre est mauvais pour nous. Notre corps ne s'attend pas à cette sorte de cruauté de notre part. Le soufre est si toxique que le corps n'a tout simplement pas assez d'énergie pour poursuivre l'évacuation du mucus. L'important processus de guérison s'arrête. Tout le corps se préoccupe maintenant de l'aspirine qui est dans le sang. La priorité est de s'en débarrasser le plus rapidement possible. Afin d'y arriver, le corps est contraint de travailler si fort et il devient si fatigué qu'il ne peut même pas continuer à maintenir une température normale. Celle-ci tombe alors sous la normale. Nous devons rester au lit parce que nous nous sentons faibles. C'est la réponse du corps à l'aspirine qui nous rend si faibles, pas la fièvre.

Par surcroît, lorsque nous nous sentons faibles, nous mangeons des mets lourds, comme de la soupe au poulet. Nous n'avons pas d'appétit. Notre corps nous dit : «Ne mange pas!»; pourtant nous pensons que nous avons besoin de manger de la soupe au poulet afin «d'avoir de l'énergie». J'avais l'habitude de procéder ainsi avec mes enfants. J'avais l'habitude de dire : «Tiens, mange de la soupe au poulet, tu as besoin d'énergie», ou je les nourrissais avec quelque chose à haute teneur en calories. En réaction à une telle initiative, qui survient à une étape où nous ne devrions pas manger, notre corps, s'il lui reste encore un peu d'énergie en réserve, va provoquer des vomissements. Il va dire : «Non, pas de ça, j'ai besoin de toute mon énergie pour la guérison.» Si nous mangeons lorsque notre corps est à l'étape où nous ne devrions pas, le sang doit se rendre à l'estomac afin de s'occuper de la soupe au poulet, détournant par le fait même l'énergie destinée à la désintoxication. Manger demande beaucoup d'énergie et peut nous affaiblir encore plus. Voilà comment un manque de coopération avec notre corps peut nous affecter!

Récupérer après avoir pris des médicaments demande de l'énergie. Après une maladie, nous ne devrions pas rester malades longtemps. Si nous continuons à être malades, c'est parce qu'il n'y a pas assez d'énergie dans le corps pour la désintoxication. Le corps doit accumuler de l'énergie avant de commencer un nouveau processus de guérison. C'est pourquoi la plupart des adultes n'éprouvent plus jamais de forte fièvre comme ils en ont connue dans leur jeunesse.

Pendant ce temps, le mucus s'accumule dans les poumons. La couche de mucus frais est claire. Le mucus plus vieux est vert, ou orange foncé, brun ou jaune. Pour se débarrasser du vieux mucus accumulé, le corps crée une pneumonie. Il fait des efforts héroïques pour se débarrasser lui-même du mucus, ce qui requiert encore plus d'énergie qu'une fièvre; nous nous sentons alors très fatigués. Le son de notre respiration se fait haletant et rauque. Lorsque nous souffrons d'une pneumonie, nous utilisons de la pénicilline. Ce médicament stoppe l'évacuation du mucus et affaiblit le corps encore plus qu'avant.

Pendant plusieurs années le corps sera privé de désintoxication, à l'exception d'un petit rhume par-ci par-là, qui constitue une tentative timide du corps pour se désintoxiquer. Le corps va continuer à emmagasiner l'excès de mucus dans les poumons jusqu'à ce qu'il ne reste plus qu'un tiers du volume des poumons. À ce stade, les poumons disent : «Je ne peux en prendre plus. J'ai besoin de ce tiers pour continuer à respirer, pour continuer à vivre. Je ne peux pas vivre avec moins d'oxygène que cela.» Il reste de l'espace d'entreposage dans les sinus et dans le front. Le mucus se transporte vers ces endroits. Ensuite, le corps mobilise une couche sous la peau pour emmagasiner le mucus. Lorsque du mucus et des toxines se sont ainsi accumulés sous la peau, nous avons la chair de poule ou présentons une peau rugueuse. Ensuite, lorsque nous marchons un peu, nous commençons à suer et le mucus commence à sortir à travers les pores de la peau. Ce mucus est acide et irrite notre peau. Si vous versez sur votre peau beaucoup de jus de citron et frottez le citron sur votre peau, vous allez avoir des démangeaisons. Lorsque ce mucus acide passe à travers votre peau, celle-ci vous démange. Nous appelons ce phénomène une allergie. Pourquoi une allergie apparaît-elle? Pourquoi existe-t-elle? Nous avons beaucoup de toxines dans notre corps. Les gens disent : «Ça se produit lorsque je mange des agrumes.» Les agrumes ne font que dissoudre les toxines et les aident à traverser la peau plus rapidement. C'est bon pour nous. Cela signifie que nous avons réellement une quantité énorme de toxines.

Parfois, nous avons accumulé tellement de mucus dans notre corps que nous développons une condition de respiration bruyante et difficile appelée asthme. Nous ne pouvons pas respirer. Nous n'avons pas assez d'oxygène. Nous n'avons pas assez d'espace pour respirer, nous sommes tellement remplis de mucus. Le mucus entreposé dans le front, très près du cerveau, cause des maux de tête et, potentiellement, des tumeurs au cerveau. Cet espace n'était pas prévu pour abriter tant de mucus de façon permanente.

Je vais vous donner un moyen simple de savoir si vous avez du mucus dans vos poumons. Faites le tour d'un pâté de maisons en courant. Si du mucus vous sort du nez, c'est que vous en avez. Si vous pouvez faire deux tours sans voir du mucus vous sortir du nez, c'est que vos poumons sont propres. Si vous pouvez respirer par le nez en courant, vous n'avez pas de mucus. Avez-vous déjà remarqué que les coureurs professionnels crachent des mucosités lorsqu'ils disputent une épreuve? Ils suivent des régimes végétaliens ou végétariens qui incluent beaucoup d'aliments à haute teneur en calories comme du riz ou des pommes de terre cuites, qui sont des aliments générateurs de mucus. Lorsque des crudivores courent, ils ne sécrètent aucun mucus. Je connais plusieurs coureurs crudivores qui n'ont aucun problème de mucus; ils n'ont pas besoin de cracher et ils peuvent respirer par le nez. Ils ont assez d'oxygène pour courir et parler. Leurs poumons sont propres.

Notre corps vise à se nettoyer par la course. Nous sommes des animaux qui sommes à tout le moins censés marcher. C'est pourquoi nous avons une capacité d'entreposage limitée pour le mucus. Nous avons été faits pour nous mouvoir. Lorsque nous nous déplaçons ou nous secouons, les poumons commencent à pomper et à pousser le mucus vers l'extérieur. Mais si nous ne courons ou ne marchons que rarement, comment pouvons-nous nous attendre à ce que notre corps se désencombre du mucus? Plutôt que de l'aider à se débarrasser lui-même du mucus, nous court-circuitons ses efforts en prenant une aspirine.

Le corps doit être très fort pour produire de la fièvre. Lorsque nous sommes capables de produire une réelle bonne fièvre, nous devrions célébrer! Être très contents. Votre corps est un serviteur dévoué qui ne cherche qu'à vous maintenir en très bonne santé. Lorsque vous avez de la fièvre, aidez votre corps en ne mangeant pas d'aliments. De toute façon, il est probable que vous n'ayez pas envie de manger quand vous avez de la fièvre. Lorsque j'étais petite et que j'avais de la fièvre, je ne voulais jamais manger et ma mère essayait toujours de me nourrir. Elle me donnait du lait chaud. Du lait avec du beurre sur le dessus et toutes sortes de choses dégueulasses. Mais je ne voulais jamais les manger. Si vous voulez vous aider, vous pouvez envelopper votre corps, ou alterner entre des douches froides et chaudes, ou encore prendre un bain. Faites ce que votre corps veut. Votre corps vous dit clairement ce qu'il veut. Vous voulez que la couverture soit enlevée ou gardée. Mais habituellement, lorsque j'enlevais ma couverture, ma mère disait : «Oh non, non, non, garde-là. Il ne faut pas que tu aies froid!» Ma mère faisait ce qu'elle pensait être le mieux pour moi. Maintenant nous savons que le mieux est d'écouter notre corps. Nous avons tous des toxines dans notre corps. La désintoxication est un effort de notre corps pour se débarrasser de ces toxines. La désintoxication est inévitable afin d'être en bonne santé. Quels sont les indicateurs majeurs de la désintoxication? Avant que je vous le dise, je veux vous raconter cette histoire.

Lorsque je travaillais au Creative Health Institute, les invités venaient de deux à six semaines pour apprendre comment manger des aliments crus. D'abord, ils étaient soumis à un jeûne de deux jours de jus frais, puis on les nourrissait d'herbe de blé, de germinations et d'aliments crus. Tous les jours les invités rencontraient le personnel afin de faire le point sur les indicateurs de désintoxication et les guérisons. Les invités mentionnaient des éruptions, des maux de tête, des diarrhées, des boutons de fièvre et de la faiblesse. Habituellement, dans chacun des groupes, il y avait un invité qui ne présentait aucun signe. Plutôt qu'une bonne nouvelle, le personnel savait que cette absence était un signal d'alarme. Cela signifiait que le corps de l'invité n'avait plus assez d'énergie pour créer une condition de guérison. C'est pourquoi je veux que vous célébriez les signes d'événements guérisseurs. Lorsque vous commencez les aliments crus, vous redonnez immédiatement à votre corps beaucoup d'énergie. Vous êtes censé être en processus de désintoxication. Si vous n'avez aucun symptôme, c'est peut-être le signe qu'il y a un problème. Si vous décidez d'aller vers l'alimentation crue, attendez-vous à des périodes de guérison. Même si vous présentez des signes désagréables de désintoxication une journée où vous vous en seriez passé, peu importe, soyez reconnaissant. Si vous avez des signes de désintoxication, vous devez célébrer! Soyez heureux! Réjouissez-vous!

Quels sont les indicateurs les plus communs de la désintoxication? Près de 75 % des gens, lorsqu'ils commencent l'alimentation crue, font l'expérience de boutons dans la bouche. Ces boutons apparaissent parce que la salive devient très acide, ce qui irrite les gencives et produit des boutons. Ceux-ci sont ennuyeux, douloureux et irritants. Il n'y a rien que vous puissiez faire. Vous ne pouvez pas laver, rincer ou mettre de l'huile. Vous devez attendre que la salive change. Lorsque vous commencez l'alimentation crue, votre corps commence à se nettoyer en rejetant tous les déchets accumulés dans le sang. Ce processus crée temporairement une condition acide. C'est pourquoi, lorsque nous jeûnons, nous sentons mauvais. Lorsque nous jeûnons ou changeons radicalement de régime, nous dégageons comme une odeur d'ammoniac.

La faiblesse est un autre signe de désintoxication. La plupart des gens ressentent quelques heures de faiblesse durant la première semaine. De temps à autre, nous devenons soudainement si faibles que nous ne pouvons même pas bouger un doigt. Ensuite, aussi soudainement, cette incapacité s'en va et nous avons plus d'énergie qu'avant. La faiblesse est ressentie quand le corps prend du temps et de l'énergie pour nettoyer certains organes. Imaginez un scanner regardant à travers le corps en entier. Tout à coup il trouve un organe qui demande une réparation. Le scanner envoie un message au centre d'énergie du corps. Il dit : «Oups! Il y a quelque chose ici. J'ai besoin de passer plus de temps ici et j'ai besoin de dépenser un surplus d'énergie.» C'est ainsi que le corps fonctionne.

Les maux de tête sont un autre indicateur. Si vous avez mangé beaucoup de sucre blanc dans votre vie, bu beaucoup de café ou pris des tranquillisants, vous allez probablement faire l'expérience de maux de tête. Ceux-ci ne durent habituellement pas plus de deux à trois jours, mais ils peuvent sembler insupportables. Pour vous aider à vous sentir mieux, allongez-vous et reposez-vous, prenez un bain, dormez ou donnez-vous un lavement. Demandez à votre corps : «De quoi as-tu as besoin?» et écoutez.

Les éruptions sont un autre signe commun. Environ 90 % des gens font l'expérience d'éruptions de une à trois fois. Notre corps partage toutes les toxines en certains groupes. Un groupe est éliminé à travers les oreilles. Un autre est plus facile à éliminer à travers le nez. Certaines toxines doivent être éliminées à travers la peau par la transpiration. Quand la toxine est libérée à travers la peau, vous faites l'expérience d'une sorte d'éruption. Plus la transpiration est acide, plus l'éruption sera insupportable. Que pouvez-vous faire alors? Prenez un bain chaud et transpirez. Rendez-vous au sauna. Si vous y allez, rappelez-vous que vous devez laver la transpiration pleine de toxines. Je vais souvent au sauna, parce qu'il y a un sauna là où je vis. Je regarde les gens dans le sauna. Leur corps travaille pour exsuder toutes les toxines et lorsqu'ils sortent au grand air, à l'air froid, ils s'assoient et se laissent sécher. De cette façon, leur corps réabsorbe toutes les toxines! Lorsque les pores de la peau sont ouverts, notre corps est comme une éponge, il réabsorbe tout à nouveau. Nous devons laver cette sueur et les toxines. L'eau froide est ce qu'il y a de mieux, car elle force les pores à se fermer, ce qui permet d'évacuer les toxines.

Un autre indicateur de désintoxication est la diarrhée. Certaines personnes ont la diarrhée, ce qui est très bien. J'ai déjà prié pour avoir la diarrhée et je ne l'ai pas eue. J'ai un ami qui n'a pas prié pour l'avoir et il l'a eue, par intermittence, pendant six mois. Il ne pouvait aller au cinéma parce qu'il avait peur de s'éloigner de plus de 30 mètres de chez lui. Je voulais avoir la diarrhée parce que je souffrais d'un prolapsus du côlon[3] et qu'on m'avait dit que la diarrhée allait redresser mon côlon. La diarrhée n'est pas mauvaise et n'est pas causée par une bactérie. Elle est causée par le corps qui essaie de se nettoyer lui-même.

Lorsque vous faites l'expérience de signes de désintoxication, la première chose à faire est d'appeler quelqu'un parmi la communauté de crudivores qui va comprendre votre situation et pouvoir en parler avec vous. Vous pouvez appeler un autre crudivore et lui dire : «Je t'appelle parce que je suis en train de mourir! J'ai un terrible mal de tête, tout brasse et je suis faible.» Votre ami, qui comprend le processus de désintoxication, vous répondra : «Félicitations, ton corps travaille!» Pourquoi rejoindre d'autres crudivores? C'est important parce que peu importent les explications que je vous donne, lorsque la désintoxication va se produire, vous allez prendre panique. Tout le monde le fait. Voilà pourquoi il est si important d'appeler quelqu'un qui peut vous aider à réaffirmer votre choix de santé et qui peut vous assurer que vous agissez correctement. Quelqu'un qui va vous dire que tout est parfait et que ce que vous vivez est normal.

Si vous faites l'expérience d'un événement guérisseur, vous pouvez envisager un jeûne à l'eau ou au jus de 24 à 36 heures. Ce jeûne va hâter le processus de désintoxication. Lisez des livres sur le jeûne avant de projeter d'en faire un. Si vous voulez jeûner pendant une période plus longue, il serait plus sécuritaire de vous inscrire à une clinique de jeûne.

---

[3] Descente d'organe, dans ce cas-ci, le côlon.

CHAPITRE VI

Le jeûne familial

Jeûner est un privilège. Jeûner est une joie. Quand se présente le bon moment pour jeûner? Vous saurez qu'il est temps de jeûner quand tout a mauvais goût. Vous mangez votre mets favori et il ne goûte pas bon. C'est le signe que votre corps vous ordonne de jeûner.

J'ai jeûné à l'eau plusieurs fois de un à vingt et un jours. Quelquefois, j'ai fait des jeûnes au jus. Notre famille de quatre aime jeûner ensemble. Souvent, nous jeûnons un à deux jours, pendant que nous parcourons de longues distances pour nous rendre à nos ateliers. Ce jeûne rend notre voyage plus facile et nous permet de rester éveillés. En famille, nous avons fait quelques jeûnes au jus d'une semaine et plusieurs jeûnes à l'eau de un à deux jours.

En février de cette année-là, notre famille a fait un jeûne à l'eau de 14 jours. Ce jeûne a rapproché chacun des membres de la famille, nous sommes très près les uns des autres. Chaque jour, nous nous réunissions pour partager toutes les choses qui se produisaient dans nos corps. Nous passions par les mêmes expériences ensemble. Nous nous demandions : «As-tu fait l'expérience de ceci? Fais-tu l'expérience de cela? Oui, tu l'as fait? Eh bien!» À la troisième journée, chacun de nous éprouva une grande faiblesse physique. Pendant que j'étais sortie, Valya répondit au téléphone; elle devait soutenir son bras pour tenir le combiné. Sergeï était à la montagne pour faire de la planche à neige. Une heure après son départ, il a appelé à la maison : «Peux-tu venir me chercher? Je ne peux même pas tirer ma planche dans la neige.» Nous avons conclu que cette faiblesse s'était produite parce que nos corps étaient dans une phase de transition : habitués à se nourrir d'aliments, ils se nourrissaient maintenant des réserves internes du corps. Le quatrième jour, nous étions tous pleins d'énergie. Sergeï a fait de la planche à neige toute la journée. Il était tellement content de dire à ses amis qu'il en était à sa troisième journée de jeûne à l'eau. Ses amis ne l'ont pas cru. L'un dit que Sergeï voulait leur en faire accroire et qu'il n'avait pas l'air de quelqu'un qui n'avait pas mangé. Le soir du cinquième jour, nous nous sommes tous embrassés : «Hé, c'est notre cinquième jour!» Nous nous sommes demandé : «Allons-nous jeûner une autre semaine et demie comme prévu? Gosh, une autre semaine et demie semble si long!». Nous avons alors commencé à nous apercevoir combien de temps libre nous avions. Durant le jour, nous épargnions tout ce temps consacré habituellement à faire les achats, à préparer des mets et à manger. Plutôt que de manger, nous avons décidé d'aller au sauna, en famille, chaque jour sur l'heure du midi. Comme l'odeur agréable des aliments nous manquait, nous apportions de l'huile essentielle de citron et en répandions dans le sauna, de sorte que nous sentions le citron. Nous avions beaucoup d'énergie. Nous nous réveillions dès le lever du soleil et allions nous coucher autour de minuit. Nous aimions observer la silhouette de chacun, observer les différences et admirer les belles formes que nous prenions. Nous allions nous baigner. Ce fut une très belle expérience! Sergeï dit : «Je ne savais pas que j'étais si dépendant du rituel de manger.»

Vers la fin du jeûne, Sergeï appela un ami et lui dit : «Veux-tu ma planche à roulettes? Viens la chercher! Je l'ai décidé, je ne ferai plus de planche. C'est une perte de temps. Je vais plutôt lire davantage maintenant.» Après le jeûne, Sergeï a redoublé d'ardeur dans ses études collégiales et ses leçons de musique. Il a écrit un article pour un magazine. Il a semblé mûrir durant l'expérience. Maintenant il enseigne dans une classe d'aliments crus de notre propre ville. Il est devenu un petit magicien. C'était une très belle expérience à observer. Valya a semblé avoir plus confiance en elle après le jeûne, elle était constamment d'humeur joyeuse, très heureuse.

Vers la fin du jeûne, quelques-uns d'entre nous avons commencé à ressentir de la faiblesse à des périodes différentes. Cela se produit lorsque le corps a besoin d'énergie pour guérir. Dans ces moments-là, nous nous couchions et nous reposions. Lorsque l'énergie revenait, nous savions que certaines guérisons étaient complétées. Nous avions alors beaucoup d'énergie. Oh, précieuse énergie!

Durant la nuit de notre treizième journée de jeûne, j'ai fait un rêve. Dans ce rêve, j'étais assise sur un tricycle. J'avais trois ans et mon père répandait du DDT dans son jardin. Je suis descendue de mon tricycle, j'ai marché à la suite de mon père vers la boîte qui contenait le poison et j'ai mis mes mains dans cette poudre blanche. Cela sentait si mauvais! Je me suis réveillée avec ce goût de DDT dans la bouche. Je suis allée à la salle de bains et j'ai commencé à me rincer la bouche, mais le goût du chimique ne voulait pas s'en aller. Cette sensation était associée à la mémoire vivante de mon enfance, qui me faisait revoir mon père répandant du DDT dans le jardin, tandis que moi j'étais assise sur le tricycle. Je me souviens qu'il n'y avait pas encore d'asphalte dans les rues et que je devais conduire mon tricycle sur des planches. Il est intéressant pour moi de m'être souvenue de façon si nette de cet épisode. Je sais que mon corps était en train de se débarrasser du poison qui était en lui depuis l'âge de trois ans.

À la fin du jeûne, nous nous sommes demandé comment nous devions le terminer. Nous possédions quelques livres sur le jeûne et chacun proposait de terminer le jeûne d'une façon différente. Un disait de le terminer avec du jus, un autre avec de l'herbe de blé, un troisième avec des oranges et un dernier avec des tomates pelées. Nous avons décidé de méditer et d'écouter nos corps pour savoir ce qu'ils voulaient. Nous avons entendu la réponse, juste à temps, très clairement. Nous allions nous procurer des pommes biologiques râpées Fuji, quelques morceaux d'ananas et quelques morceaux de prunes. Ensuite, nous boirions du jus pendant trois jours. Partis du collège par autobus, les enfants sont arrivés à la maison à 17 h 20. Igor et moi avions préparé une belle table avec des fleurs au centre et chacun avait une assiette avec un tas de pommes râpées, des morceaux d'ananas, des pruneaux secs trempés et l'eau des prunes au centre. J'avais conçu une affiche qui disait : «Félicitations à la famille Boutenko pour avoir terminé avec succès ses 14 jours de jeûne à l'eau!» Quand les enfants sont entrés, eux qui n'avaient pas mangé depuis deux semaines, et quand ils ont vu cette belle table avec des assiettes garnies et qu'ils ont humé l'odeur des fruits… Wow!!!

Nous nous sommes assis en famille en nous tenant les mains. «Est-ce que nous devrions vraiment manger?» dit Sergeï. «J'aurais aimé attendre une autre journée», dit Valya. Ensuite, nous avons commencé à manger. Oh, c'était si bon! Aucun d'entre nous n'a pu terminer même la moitié de son assiette. Nous étions si pleins. Nos estomacs avaient rapetissé. Oh, j'aurais aimé pouvoir manger plus! Nous devions en laisser pour plus tard. Quelques heures plus tard, nous avons tout terminé et nous sommes restés longtemps ensemble, nous embrassant et ressentant combien nous étions heureux de l'avoir fait. À chacun, merci beaucoup! Nous ressentions tellement de gratitude, d'unité et de joie.

Durant le jeûne, Valya prenait des leçons de jazz qui exigeait des exercices vigoureux. Après être allée à deux séances, elle dit : «Tu sais, maman, je ne sais pas si je peux m'y rendre une troisième fois et vraiment tout faire. Je sentais quelquefois que je ne pouvais vraiment pas tenir mes mains levées très longtemps. Je ne voulais que m'asseoir et me reposer.» Lorsque le professeur lui tournait le dos, Valya baissait les mains et lorsqu'il regardait dans sa direction, elle les redressait.

J'ai préparé une boisson spéciale pour Valya : une demi-tasse d'eau de noix de coco thaïe et une demi-tasse d'eau distillée, ce qui donnait assez de glucose pour lui donner un peu d'énergie. Ainsi, durant les derniers jours, si les enfants avaient besoin de participer à des exercices, je leur donnais une tasse de cette eau mélangée avec de l'eau de noix de coco et ça a marché. Igor et moi n'avons pas pris de cette boisson, mais Valya et Sergeï en ont pris.

Jeûner en famille est une très belle expérience. J'ai incité nos enfants à prendre des notes et ils l'ont fait. Maintenant Sergeï dit qu'il aimerait jeûner une à deux fois par année encore en famille et écrire un livre intitulé *Le jeûne familial*. Les enfants ont perdu presque neuf kilos chacun et il semblaient minces, mais ils ont regagné ces kilos dès les trois premiers jours d'alimentation au jus. C'était incroyable. Nous avons tous aimé notre nouvelle expérience de jeûne. Nous sommes impatients de refaire un autre jeune familial.

DEUXIÈME PARTIE

Comment rester au cru

CHAPITRE SEPT

Pourquoi 12 étapes?

J e veux vous poser une question : la nourriture est-elle votre plaisir numéro un? Avant de répondre non tout de suite, pensez à la manière dont nous célébrons les événements spéciaux. Jeûnons-nous aux anniversaires, aux mariages ou les jours fériés? Allons-nous faire une marche pour célébrer ces occasions ou préparons-nous des festins alléchants et originaux? Lorsque nous sommes invités à une soirée d'anniversaire, nous attendons-nous à bien manger? Que diriez-vous d'une réception où on ne vous offrirait aucune nourriture?

La nourriture est synonyme de célébration dans notre culture. Pour les fêtes, nous préparons des repas délicieux, nous achetons les produits qui nous mettent le plus l'eau à la bouche. Il y a même des plats spéciaux pour certaines occasions tels des clafoutis, des truffes au chocolat, des gâteaux fantaisistes, des bonbons et des hors-d'œuvre. C'est avec impatience que nous attendons ces repas de fête.

Comment vous sentez-vous après un repas de fête? Pouvez-vous décrire honnêtement comment votre corps se sent le lendemain matin? Vous sentez-vous endormi, fatigué ou lessivé? Avez-vous besoin de café? Avez-vous remarqué que votre corps a tendance à se sentir ainsi après un gros repas de fête? Même si votre réponse est oui, est-ce que cette sensation inconfortable vous empêchera de prévoir d'autres repas de fête?

Si nous mangions seulement pour nous nourrir, mangerions-nous des chips, boirions-nous du café ou de la bière? Lorsque nous nous rendons au rayon d'épicerie fine et admirons les plats qui y sont présentés, sommes-nous alléchés par la qualité nutritionnelle des aliments ou par le goût et le plaisir que ces aliments évoquent? La plupart d'entre nous répondrions : par le plaisir. Lorsque nous avons admis que la nourriture est le plaisir numéro un pour la majorité d'entre nous, nous pouvons prendre conscience du fait que nous consommons de la nourriture non pour sa valeur nutritionnelle, mais pour le plaisir.

En faisant passer le plaisir en premier, nous sacrifions la valeur nutritionnelle au goût. C'est pourquoi nous finissons par consommer des aliments au goût alléchant mais de peu de valeur nutritionnelle. Ce sont là les deux caractéristiques majeures des aliments cuits. L'alimentation crue, par contre, peut vous apporter à la fois la valeur nutritionnelle et le plaisir.

J'ai commencé à donner des cours sur les aliments crus il y a huit ans déjà. Quand j'ai eu perdu mes premiers 15 kilos, j'ai réuni chez moi des voisins et des amis et j'ai commencé à leur révéler tous les bénéfices pour la santé dont j'avais fait l'expérience en mangeant seulement des aliments crus. Ils ont vraiment été emballés et ont décidés de devenir crudivores eux aussi. Cependant, aucun d'entre eux n'est resté longtemps au régime cru, même pas jusqu'au déjeuner suivant. J'ai rencontré quelques-uns de mes élèves quelques jours plus tard dans un magasin et je leur ai demandé comment allait leur vie de crudivore. L'un dit : «Je ne peux pas devenir crudivore maintenant, il faut que je cuisine pour ma famille.» Les autres ont essayé de m'éviter. J'ai pensé que je ne faisais pas un bon travail d'enseignement s'ils ne pouvaient pas rester au régime cru. J'ai décidé d'étudier encore plus. J'ai visité différents centres de santé alternatifs et j'ai lu jour et nuit. J'ai recommencé à enseigner et cette fois-ci, j'ai mis à contribution tous mes talents pour animer mes cours. J'ai chanté, j'ai dansé des danses folkloriques de Russie, j'ai raconté des histoires. J'ai tout essayé pour rendre les enzymes et les germinations intéressantes. À la fin du cours, tout le monde était très excité et disait : «Oh, je ne mangerai plus jamais d'aliments cuits de ma vie. Je ne vais manger que du cru.» Mais, comme je l'ai appris plus tard, mes nouveaux élèves n'arrivaient pas à tenir le coup au-delà du déjeuner suivant. J'en ai rencontré deux dans un magasin la semaine suivante; ils cachaient leurs muffins derrière leur dos et ils me dirent : «Désolée Victoria, nous n'avons pas pu tenir.» Je savais que quelque chose n'allait pas avec mon enseignement et je n'aimais pas que mes amis se dérobent comme si j'étais la police. J'ai décidé de me taire jusqu'à ce que je trouve une façon d'enseigner plus efficace. Je me suis fixé pour objectif de rencontrer d'autres enseignants de l'alimentation crue et des chefs afin d'apprendre auprès d'eux comment enseigner avec succès le style de vie qui caractérise le régime cru.

Pendant deux ans et demi, nous avons voyagé dans le pays et avons visité plusieurs centres de santé alternatifs. Nous en avons trouvé quelques-uns où on enseignait le style de vie du régime cru. Des gens atteints de cancer ou de diabète, souffrant d'allergies, d'asthme ou d'autres maladies graves venaient du monde entier à ces centres et y restaient habituellement de deux à six semaines. Le personnel les initiait au régime cru et leur expliquait pourquoi c'est le meilleur type d'alimentation pour les humains. On servait aux invités de bons repas crus.

Nous sommes restés neuf mois dans l'un de ces centres, le Creative Health Institute (CHI). Ce centre offrait les conditions idéales pour s'initier au régime cru. Les invités étaient éloignés de tout stress et des tentations, ils vivaient dans une atmosphère accueillante et charmante. La plupart souffraient d'une maladie fatale comme le cancer. Dans la plupart des cas, ils avaient pris la décision d'essayer le régime cru en dernier ressort. La majorité avaient subi des traitements de chimiothérapie et de radiothérapie, et leurs médecins leur avaient dit qu'il n'y avait plus rien à faire pour les aider.

Les 132 invités du CHI étaient initiés à une alimentation crue à 100 % et tous ont affirmé s'être sentis mieux. Ils ont vu leurs tumeurs diminuer en l'espace de quelques semaines, les autres symptômes s'atténuer et ils se sentaient bien. Ils s'étaient engagés à demeurer au régime cru parce que cette expérience les avait aidés à se sentir mieux. Les familles qui venaient les visiter les soutenaient et les encourageaient à persévérer parce qu'elles pouvaient constater les progrès de leurs proches sur la voie du rétablissement. Il était clair pour plusieurs invités que le régime d'aliments crus leur permettrait de vivre plus longtemps. Nous étions tous très heureux pour eux. Lorsqu'ils sont partis, nous leur avons souhaité bonne chance.

J'ai alors demandé à Don Haughey, propriétaire du CHI, s'il avait déjà fait une recherche sur la proportion de ceux qui, une fois rentrés chez eux, restaient au régime cru. Il s'est arrêté un long moment, a soupiré et a répondu : «À peu près 2 %. Lorsqu'ils rentrent chez eux, ils ne restent pas à ce régime.» J'étais perplexe. «Est-ce qu'ils choisissent de mourir?» ai-je demandé. Il n'a pas répondu, une larme est descendue le long de sa joue. Je ne pouvais trouver d'explication : comment des gens qui ont fait personnellement l'expérience des bénéfices extraordinaires d'un régime cru n'étaient pas capable de s'en tenir à ce régime? C'était un vrai mystère pour moi et je voulais résoudre ce casse-tête.

Avec cette énigme en tête, j'ai continué à donner des cours. Mes élèves étaient toujours aussi excités à l'idée de commencer un régime d'aliments crus et je leur enseignais comment préparer de délicieux repas crus, mais peu d'entre eux demeuraient au cru. Je commençais à être fatiguée et découragée.

Un jour un ami m'a invité à une réunion des AA, ouverte au public. J'écoutais les échanges et soudain, j'ai compris très clairement. Les aliments cuits sont une dépendance! C'est pourquoi la volonté et les meilleures intentions ne suffisent pas. J'avais enfin la réponse à mon énigme. Je me sentais si heureuse. C'était une révélation.

Je suis allée dans une bibliothèque et j'ai demandé des livres sur la dépendance. Le bibliothécaire m'a montré plusieurs étagères pleines de livres. J'ai demandé : «Combien de livres puis-je emprunter?» Il me répondit : «38 livres.» J'ai donc emprunté 38 livres sur toutes les sortes de dépendance, en partant des drogues et de l'alcool jusqu'aux dépenses compulsives et à la suralimentation. J'ai lu tous ces livres et suis retournée à la bibliothèque pour en obtenir d'autres, jusqu'à ce que je les aie tous lus. Le bibliothécaire était certain que j'avais un *gros* problème.

Ensuite, je me suis rendue dans la plus grande librairie de notre ville. J'y ai passé la journée complète à lire et j'ai rapporté d'autres livres à la maison. Il y en avait un qui était écrit par deux médecins et qui incluait un questionnaire universel sur la dépendance à n'importe quelle substance chimique. Si la personne répondait oui à plus de trois questions, c'est qu'elle avait une accoutumance à l'une des substances mentionnées.

À titre d'expérience, j'ai fait une copie du questionnaire, j'ai caché les mots «substance chimique» et je les ai remplacés par «aliments cuits». J'ai distribué le questionnaire à tous mes élèves, dans trois classes, et tout le monde à répondu oui à la majorité des questions. J'ai pensé : «Alléluia! C'est la preuve, c'est une dépendance. Hourra! C'est si évident!» Je me suis sentie comme si j'avais sauté de l'Empire State Building. Mais plus j'y pensais, plus cette explication avait du sens, à mon avis.

Des centaines de personnes veulent devenir crudivores. Elles ont compris les bénéfices d'un régime cru pour la santé et elles veulent sincèrement changer de régime alimentaire. Certaines se sentent obligées de faire cette expérience quand elles sont atteintes de maladies graves, mais elles découvrent que demeurer au régime cru à 100 % est très difficile, presque impossible. Seulement quelques-unes y parviennent pendant plus d'un an. Même quelques-uns des enseignants de l'alimentation crue admettent qu'ils ne peuvent s'en tenir à un régime cru à 100 %. Ce qui semble facile au premier abord est en réalité extrêmement difficile parce que les aliments cuits créent une dépendance.

Ouvrez *Le Grand Livre des AA* et vous allez y lire qu'une personne sur 1000 à peu près peut arrêter de boire de l'alcool par pure volonté seulement. Vous allez aussi y lire que le programme des 12 étapes a aidé des centaines et des centaines de personnes. Je crois que si ce programme fonctionne pour des gens ayant une autre dépendance que la dépendance aux aliments cuits, il peut aussi fonctionner pour ceux qui ont une dépendance aux aliments cuits.

Je comprends maintenant pourquoi, en enseignant seulement les avantages de l'alimentation crue, je ne pouvais aider personne. Il y a à peu près une personne sur 1000 qui peut rester au régime cru avec sa seule volonté et sans soutien. J'ai rencontré deux ou trois personnes qui ont été capables de rester à ce régime plus d'un an grâce à leur seule volonté. Le problème avec la volonté est que si vous vous sentez en colère, que vous avez faim, que vous vous sentez seul ou déprimé, vous cherchez le réconfort dans les aliments cuits.

C'est précisément pourquoi j'ai développé les *12 étapes vers une alimentation crue*. Depuis un an et demi, j'enseigne ce programme à Washington, au Minnesota, en Oregon, en Arizona, au Maryland, au Colorado et en Californie. Au début j'avais peur. Je ne savais pas comment les gens réagiraient. Je pensais : «C'est si radical et si différent.» Mais la majorité des élèves qui ont participé au programme des *12 étapes vers une alimentation crue* sont restés à un régime d'aliments crus à 100 % de quelques mois à plus d'un an et ils continuent de manger cru. C'est un programme très efficace au départ et, comme je l'ai mentionné auparavant, je continue de l'améliorer. Ce programme présente toutefois plus de différences que de similarités avec les autres programmes de 12 étapes. Car je crois que la dépendance aux aliments cuits est beaucoup plus subtile et cruelle, et ainsi beaucoup plus difficile à vaincre.

Les aliments cuits sont une dépendance légale et facile à acquérir. Les aliments cuits sont publicisés partout. Ce n'est pas seulement accepté, c'est encouragé. Enracinés dans notre culture, les aliments cuits sont considérés comme normaux, convenables et sains. Comme il ne nous vient même pas à l'esprit qu'ils puissent être nuisibles, nous continuons à chercher des solutions ailleurs jusqu'à ce que, après avoir regardé partout, nous n'en ayons trouvé aucune. Tous ceux parmi nous qui se sont tournés vers les aliments crus avions des raisons sérieuses pour le faire, soit des problèmes de santé, des questions d'éthique ou de spiritualité, ou d'autres raisons. Pour moi, c'était une question de vie ou de mort. Je savais que j'allais mourir si je ne cherchais pas la vérité pour moi-même. Tous les membres de ma famille avaient de sérieux problèmes de santé avant que nous commencions un régime cru. Nous avons raconté l'histoire de notre famille dans notre livre *Raw Family*.

La dépendance aux aliments cuits est plus puissante que n'importe quelle autre dépendance. Dans la plupart des livres sur les drogues, on dit que plus les drogues ou substances chimiques ont été prises tôt, plus il est difficile de s'en libérer. Pensez à la première fois que vous avez mangé des aliments cuits. Vous aviez probablement entre six mois et un an. Avez-vous aimé les aliments cuits à votre première bouchée? Probablement pas. Vous ne vous en souvenez pas. Faisons une comparaison. Pensez au moment où vous avez essayé le café. Que goûtait-il? Amer. Vous êtes-vous demandé : «Comment les adultes peuvent-ils boire ça?» Le café a un goût qui s'acquiert. Nous avons ignoré la réponse de notre corps «Pouah, amer!» et nous avons continué d'essayer le café jusqu'à ce que nous y soyons accoutumés. Nous avons fait cette expérience parce que le café est une boisson sociale et un symbole de l'âge adulte. Avez-vous aimé votre première bière? Et que dire de votre première cigarette? Vous souvenez-vous de la réaction de votre corps? «Non, tiens ça loin de moi!» La première fois que nous avons essayé quoi que ce soit qui n'était pas sain, notre corps nous a toujours donné un avertissement. Lorsque vous avez essayé pour la première fois des aliments cuits, vous avez probablement pleuré. Peut-être avez-vous même eu une éruption! Mais votre mère pensait que c'était une poussée de dents. Ainsi votre mère, avec les meilleures intentions, a continué à vous nourrir avec des aliments cuits. Ensuite vous vous y êtes habitué et en êtes devenu dépendant.

Cependant, considérer les aliments cuits comme une dépendance constitue un gros problème. La dépendance a mauvaise réputation dans notre société. C'est un mot que nous n'aimons pas associer avec nous-mêmes. Personne n' aime dire : «Je suis dépendant.» Nous n'aimons pas que les gens nous méprisent. Mais la vérité est que la plupart d'entre nous sommes dépendants de quelque chose, comme le magasinage, l'accumulation de biens, regarder la télévision ou manger des sucreries. Nous appelons ces dépendances des mauvaises habitudes. Nous n'aimons pas les appeler dépendances. Lorsque nous entendons le mot «dépendance», nous entrevoyons des personnes sales et dépressives qui volent de l'argent et brutalisent les femmes et les enfants.

Je veux m'excuser si j'ai heurté votre sensibilité. Je n'avais pas l'intention de vous offenser ou de vous mettre mal à l'aise. Ce que j'ai découvert est si incroyable et mon intention est de le partager avec vous, pour le bien de tous.

CHAPITRE HUIT

Étape un

J'admets que j'ai perdu le contrôle de ma dépendance aux aliments cuits et que mon alimentation est devenue incontrôlable.

Le premier pas est le plus difficile. Dans mes cours, c'est le moment où certaines personnes se lèvent, quittent la salle et claquent la porte vers la sortie. Je n'entends plus jamais parler d'eux. Je m'excuse si c'est ce que vous ressentez. S'il vous plaît, ne vous précipitez pas avant de vous faire une idée. Faisons un petit travail.

QUESTIONNAIRE SUR LA DÉPENDANCE AUX ALIMENTS CUITS

Voici un questionnaire pour déterminer la dépendance aux aliments cuits. Veuillez répondre oui ou non à chacune des questions suivantes. Si vous voulez répondre parfois, peut-être ou rarement, répondez oui. S'il vous plaît, soyez honnête.

1. Si vous n'avez pas faim mais que quelqu'un vous offre votre mets favori, acceptez-vous cette offre?

2. Si vous savez qu'il n'est pas bon de manger avant de vous coucher, mais qu'il y a de la nourriture délicieuse sur la table, la mangez-vous?

3. Si vous vous sentez stressé, mangez-vous plus d'aliments qu'à l'habitude?

4. Continuez-vous de manger jusqu'à ce que votre estomac semble à pleine capacité?

5. Mangez-vous lorsque vous vous ennuyez?

6. Remarquez-vous les annonces des restaurants même lorsque vous n'avez pas faim?

7. Si l'on vous offre un repas gratuit, acceptez-vous toujours cette offre?

8. Dans les restaurants *Mangez tout ce que vous pouvez*, vous suralimentez-vous habituellement?

9. Avez-vous déjà rompu une promesse faite à vous-même de ne pas manger avant de vous coucher?

10. Dépenseriez-vous votre dernier 10 $ pour votre mets favori?

11. Vous récompensez-vous avec de la nourriture lorsque vous avez réussi quelque chose?

12. Mangez-vous sans avoir faim pour ne pas gaspiller de nourriture?

13. Si vous savez qu'un certain mets que vous aimez particulièrement va vous rendre malade plus tard, le mangez-vous quand même?

Si vous avez répondu oui à trois questions ou plus, cela veut dire que vous avez peut-être une dépendance aux aliments cuits.

Parfois les crudivores répondent oui à plus de trois questions. C'est souvent le cas de gens qui ne suivent pas un régime cru à 100 % ou qui ont commencé un régime cru à 100 % récemment. Après être devenue crudivore à 100 %, j'ai considéré encore la nourriture comme une source de réconfort pendant un an et demi. Je pensais encore que la nourriture était un signe d'amour, que l'amour venait des aliments et que la nourriture était un source de réconfort et de plaisir. Cette vision changea après un an et demi. J'ai alors commencé à trouver d'autres choses agréables dans ma vie. Je ne regardais plus la nourriture comme un bien-être. Si vous êtes crudivore et que vous avez répondu oui à trois questions ou plus, ne vous en faites pas. Vous allez changer votre objectif après un certain temps. Ceux qui en sont à un régime cru à 99 % considéreront la nourriture comme réconfortante et agréable le reste de leur vie. En maintenant 1 % d'aliments cuits, ils garderont un désir insatiable d'aliments cuits. C'est un peu comme quelqu'un qui renonce à l'alcool et qui prend un coup de vodka chaque samedi. Est-ce que cette personne est vraiment sobre?

Avez-vous déjà entendu l'expression «toucher le fond»? Peut-être avez-vous entendu que quelqu'un a «touché le fond» afin de mettre fin à sa dépendance! Imaginez des gens qui ont bu pendant des années, qui ont ruiné leur santé, qui ont perdu leur famille et leur travail, les êtres qu'ils chérissaient avaient beau les supplier d'arrêter, ils ne le pouvaient pas. Soudainement, ils ont «touché le fond» et un miracle est survenu, ils sont devenus sobres pour de bon. Avez-vous déjà pensé à ce qui arrive au «fond» et pourquoi exactement ce «fond» est si déterminant? J'étais habituée à penser que le moment où quelqu'un «touche le fond» dépend de la profondeur de son désespoir et de la proximité de la mort. Est-ce que vous pensez cela vous aussi? Eh bien, j'ai de bonnes nouvelles pour vous; rien n'est plus éloigné de la vérité. Avez-vous remarqué que chacun «touche le fond» à différents niveaux de la dépendance? Des personnes sont atteintes d'emphysème avant de se décider à arrêter de fumer, d'autres sont capables de cesser aux premières étapes de la dépendance et d'autres perdent tout et meurent, mais n'ont jamais arrêté. Ceci signifie que «toucher le fond» n'est pas associé à la maladie et au désespoir mais à quelque chose d'autre. À quoi? Quelle est cette baguette magique qui renvoie les gens vers la richesse de la vie?

Cela s'appelle *le pouvoir d'admettre*. En d'autres mots, voir la vérité en face. C'est le noyau de tous les programmes de 12 étapes. S'il vous plaît, essayez de comprendre clairement. Le «fond» arrive lorsque les gens admettent honnêtement qu'ils ont perdu le contrôle. Souvent la période de souffrance est très longue avant qu'une personne soit prête à l'admettre. C'est que plusieurs personnes ont peur d'admettre la vérité et ne comprennent pas pourquoi c'est si important. Avez-vous déjà entendu un alcoolique dire : «Oh, je pourrais arrêter de boire n'importe quand. C'est juste que je ne le veux pas»? Ils ne veulent pas admettre qu'ils ont perdu le contrôle. On appelle cette attitude le *déni*. Ou avez-vous déjà entendu un fumeur dire : «Je pourrais arrêter de fumer, mais ça me plaît vraiment et je me sens bien»? Voyez-vous que cette personne est en situation de déni? Nous savons tous que fumer est nuisible pour le corps. Admettre procure un soulagement. En admettant, tout devient très clair et il n'est pas nécessaire d'éprouver un profond chagrin ou de devenir désespérément malade afin de faire un changement. Lorsque nous admettons que nous avons un problème, nous pouvons commencer à regarder ce problème et c'est là qu'un changement peut se produire. Sachons «atteindre le fond» avant plutôt qu'après. Je vais commencer la première.

Bonjour, je m'appelle Victoria Boutenko, je suis dépendante aux aliments cuits et je n'ai rien à me reprocher depuis huit ans. J'ai rechuté seulement une fois et même si je ne veux pas manger des aliments cuits en ce moment, je sais que si j'essayais les aliments cuits, je voudrais commencer à en manger et à en vouloir. Je me connais. Je sais que le désir d'aliments cuits est un géant qui sommeille quelque part en moi; il dort en ce moment, très profondément, il ne s'interpose pas dans cette expérience qui me permet d'être entièrement vivante et de vivre ma vie au maximum. Mais je sais aussi que je suis dépendante aux aliments cuits et que, si j'en mange, ce géant pourrait se réveiller et prendre le contrôle de ma vie. Voilà, je l'ai dit. J'ai admis ma dépendance aux aliments cuits. Tout le monde est encore ici. Personne n'est tombé raide mort par suite de ma révélation. Mon mari m'aime toujours. Mes enfants m'aiment encore. Tout va bien. Admettre ma dépendance me rend plus forte. Je l'ai étiquetée. Je sais comment prendre soin de moi parce que je l'ai identifiée. La force vient de la connaissance de soi.

Les aliments cuits créent tellement d'accoutumance. Si nous nous rendons dans une épicerie santé et apercevons une mangue biologique à… oh la! 2,99 $, nous pensons : «Comme c'est cher!» Ensuite nous passons au rayon des pâtisseries où il y a des croissants frais à 2,99 $. Nous pensons : «Oh, quelle bonne affaire, je suis affamé!» Nous achetons les croissants pour une illusion de plaisir rapide ou pour engourdir quelque chose de vide à l'intérieur de nous. C'est ce qu'on peut appeler de *l'ingérabilité*. Combien d'entre nous avons dit : «J'aimerais vraiment être crudivore, mais lorsque j'arrive à la maison et que je regarde dans le frigo, je prends des aliments de réconfort, pas les aliments crus»? Pensez à la deuxième question du *Questionnaire sur la dépendance aux aliments crus*. Mangez-vous tard le soir, même si vous n'avez pas faim, juste parce que votre partenaire commence à ouvrir quelque chose de délicieux? C'est à ce moment que nous avons perdu le contrôle. Vous avez décidé de ne pas manger le soir avant d'aller vous coucher, mais vous le faites quand même parce que la tentation est là. Ce cadeau nous promet une sorte de plaisir. Nous nous rappelons le temps où ce cadeau nous donnait du plaisir, ainsi nous le voulons. C'est une dépendance lorsque le besoin outrepasse notre décision de ne pas manger avant de nous coucher. J'ai vu 132 personnes souffrant du cancer, qui sont venues dans un institut de santé et se sont senties mieux. Leurs tumeurs ont diminué et elles ont décidé de manger cru. Elles ont même fait des demandes d'emploi et se sont inscrites à l'université. Mais rentrées à la maison, quand Noël est venu, elles ont toutes failli. Elles sont toutes mortes. Elles ne pouvaient pas s'en tenir à l'alimentation crue. Elles ont laissé derrière elles des enfants et des êtres aimés parce qu'elles ne pouvaient pas résister aux aliments cuits. C'est la vérité. Je connais leurs noms. Je connaissais ces personnes. Je leur enseignais comment faire pousser des germinations. Je parlais à leur famille. Leur famille les appuyait. Mais elles ne pouvaient pas résister à leur dépendance aux aliments cuits et elles sont mortes. Je me souviens de Cynthia du Michigan qui avait le soutien de toute sa famille. Elle était enseignante. Ses trois garçons lui ont dit : «Maman, nous allons faire du jus pour toi. Tu n'as qu'à maintenir ton régime d'aliments crus et à demeurer vivante.» Son mari lui a dit : «Reste au cru, nous t'appuyons tous.» Elle ne pouvait pas. Son cancer est revenu. Elle est morte. Les aliments cuits créent une dépendance.

De telles histoires montrent que la dépendance aux aliments cuits est plus forte que la peur de la mort. C'est plus fort que la peur de la maladie, peu importe l'intensité de la douleur et de la souffrance. La seule façon de prendre le dessus sur les aliments cuits est de comprendre à quel point ils créent la dépendance. Il faut constater qu'ils ont le contrôle sur nous et suivre le programme des 12 étapes. Le soutien est la force la plus puissante que je connaisse. Si je n'avais pas eu l'appui de ma famille, je serais probablement morte. Longtemps je n'ai pas réalisé que dans ma ville il y avait un groupe des AA prêt à me donner un coup de main quand je me sentais faible. Oui, j'ai été au régime cru à 100 % pendant huit ans. Je suis réellement déterminée à manger cru. J'ai oublié les aliments cuits. Lorsque je marche dans les rues, je ne remarque plus les restaurants maintenant. Lorsque je vais chez Barnes and Noble[4], je ne porte plus attention à l'odeur du café. Mais je sais que si je me blessais et que je devais aller à l'hôpital, là où je ne peux avoir d'aliments crus, et que si je prenais une bouchée, le résultat serait horrible. C'est arrivé à plusieurs de mes amis. Quelque chose est survenu et ils sont retournés aux aliments cuits, même s'ils avaient été de solides crudivores à 100 % très longtemps. Je sais que chez moi la dépendance aux aliments cuits est encore dans mon corps. Voici quelques extraits d'un échange en atelier à ce sujet.

---

[4] Chaîne de librairies américaines où on sert aussi du café.

Linda : Je crois avoir touché le fond. J'ai été aux aliments crus pendant très longtemps. Ma famille m'a annoncé qu'elle viendrait à Noël et j'ai décidé que je voulais un Noël traditionnel. Je voulais refaire toutes les choses que j'étais habituée de préparer. J'ai fait de la tarte à la citrouille et des rochers aux amandes ainsi que tous ces aliments de réconfort qu'ils aimaient; j'ai eu beaucoup de plaisir à les leur préparer. Puis j'ai été très malade après les Fêtes pour avoir mangé tous ces aliments cuits. C'était le fond.

Dalia : Mon alimentation est vraiment incontrôlable et j'ai réellement une dépendance aux aliments cuits. Je pense que c'est parce que mes parents ont introduit les aliments cuits dans mon alimentation quand j'étais très jeune.

Carol : J'ai beaucoup de difficulté avec cela.

Victoria : C'est correct d'avoir de la difficulté.

Carol : Je crois que je ne suis pas encore capable d'admettre que je suis dépendante.

Victoria : C'est correct. Tu es la bienvenue de toute façon.

Carol : Je veux vraiment me diriger dans cette voie. Mais je suis mal à l'aise avec l'idée de parler de ma dépendance.

Victoria : J'apprécie que tu partages cela avec nous.

Bryan : Je suis vraiment dépendant et je n'en reviens pas.

Kathleen : J'ai été par intermittence à l'alimentation crue pendant près de trois ans et je crois que c'est très vrai que je suis dépendante. Lorsque je cuisine du tofu, du riz ou n'importe quoi d'autre pour ma famille, je sais toujours que je ne veux pas le manger, que je préférerais consacrer mon énergie à créer quelque chose de cru. Mais je finis souvent par manger les mets cuisinés avec eux.

CHAPITRE NEUF

Étape deux

Je crois que l'alimentation végétalienne vivante est le régime le plus naturel pour un être humain.

Dans la première partie de ce livre, nous avons donné plusieurs raisons qui prouvent que l'alimentation crue est le régime la plus naturel pour le corps humain. Nous avons discuté de l'importance des enzymes et comment elles sont liées à la santé. Nous avons expliqué comment le corps doit s'adapter aux aliments cuits en produisant du mucus nuisible. Nous avons discuté de la relation entre les aliments crus et les bactéries, les parasites ainsi que les maladies.

Je voudrais maintenant raconter comment l'alimentation crue a changé la vie de ma famille. Il y a huit ans, nous étions tous très malades. Je faisais de l'arythmie et j'étais profondément dépressive. Mon mari souffrait d'une arthrite douloureuse. Une chirurgie était prévue pour son hyperthyroïdie. Un diagnostic avait établi que mon fils était atteint de diabète juvénile et on lui avait prescrit de l'insuline. Ma fille faisait de l'asthme. La médecine traditionnelle considère toutes ces maladies comme incurables. Nous avions aussi plusieurs autres problèmes tels une mauvaise digestion, de l'obésité, un manque d'énergie, des sautes d'humeur, des problèmes dentaires et autres.

Après nous être mis au régime cru, tous les quatre avons été complètement guéris. Aujourd'hui nous affichons une santé radieuse et un bonheur constant. Je crois que notre état de santé est bien au-delà de ce que la plupart des gens connaissent. Nous n'avons aucune assurance santé parce que nous nous sentons entièrement responsables de notre santé. Nous faisons continuellement l'expérience d'un taux d'énergie élevé.

Chacun de nous peut courir plusieurs kilomètres. En 1998, nous avons fait une randonnée pédestre sur le sentier du Pacific Crest. Les autres peuvent douter, mais nous savons que tous les changements concernant notre santé ont commencé à se produire lorsque nous avons entrepris un régime d'alimentation crue.

CHAPITRE DIX

Étape trois

Je vais acquérir les compétences nécessaires, apprendre des recettes de base d'alimentation crue et obtenir le matériel requis pour préparer les aliments vivants.

Quelle importance doit-on attacher au goût des aliments crus? Nous avons convenu un peu plus tôt que le premier plaisir dans la vie des gens, c'est la bouffe. Personne ne restera à un régime cru si les aliments ne sont pas appétissants. Les aliments crus peuvent-ils être aussi délicieux que les aliments cuits? Absolument! J'ai appris à préparer des aliments crus très bons et ma famille enseigne avec succès les secrets de plats raffinés à des centaines d'hommes et de femmes d'âges différents. Au cours des dernières années, j'ai cessé de dire aux gens que mes aliments sont crus, à moins qu'ils ne le demandent.

Un jour une femme m'a appelée et m'a demandé : «J'ai appris que vous êtes une bonne cuisinière. Pouvez-vous préparer un repas de noces pour 50 personnes?» Elle n'a pas demandé un menu cru, mais à ce moment-là, je n'étais pas en position de refuser un surplus de revenu. Alors j'ai répondu : «Certainement.» J'ai eu tellement de plaisir à préparer un gâteau de noces à trois étages, des hors-d'œuvre, de la soupe, des salades, des hamburgers aux champignons Portobello, des coupes glacées et de la crème glacée. Il n'y avait pas de crudivores à ce mariage. Tous les invités étaient habitués au régime alimentaire américain standard SAD[5]. Personne ne s'est plaint. La seule question que tout le monde posait était : «Pourquoi tout est-il si délicieux?» Les invités ont aimé les aliments et ils voulaient rencontrer le chef. Lorsque je leur ai

---

[5] Standard American Diet (SAD) – jeu de mot fortuit : l'acronyme SAD signifie triste en français.

annoncé que les aliments étaient crus et végétaliens, tout le monde a été très surpris : «Ces aliments santé étaient si savoureux.»

Vous ne deviendrez pas un cuisinier d'aliments crus en regardant seulement comment font les autres, comme vous ne deviendrez pas un bon nageur en regardant les Jeux olympiques. Pour apprendre à nager, vous devez vous mouiller, avoir froid et avoir de l'eau dans le nez. Si vous voulez devenir un grand chef de gastronomie crue, vous devez déballer votre mélangeur neuf, votre robot, votre extracteur à jus ainsi que votre déshydrateur, et les placer sur le comptoir de votre cuisine. Ne faites pas que les posséder, utilisez-les, sautez dedans et salissez-vous. Ayez les doigts collants. Renversez tout le contenant de votre Vita-Mix sur toutes les surfaces de la cuisine. C'est inévitable, donc le plus tôt sera le mieux. Expérimentez, ayez du plaisir. Si votre création ne goûte pas bon tout de suite, ajoutez-la à votre compost. Tous les vers de terre de vos voisins vont se regrouper dans votre jardin, attirés par votre cuisine. Vous ne pourrez apprendre à produire des aliments délicieux que par tâtonnements.

Pendant cinq ans, ma fille Valya a eu peur de faire du glaçage à gâteau. Elle disait : «Je ne le ferai pas. Cela ne goûtera pas bon.» Un jour où j'étais hors de la ville, un de nos amis a demandé à Valya de préparer un gâteau d'anniversaire. Ma fille devait faire le gâteau en entier elle-même et elle le fit. Lorsque je suis arrivée à la maison, elle me dit : «C'était si facile! Tu prends seulement des noix, des dattes et de l'eau, tu les passes au mélangeur et c'est du glaçage! Si tu veux, tu peux créer des parfums différents en ajoutant de la vanille, de la caroube, du zeste de citron ou d'autres ingrédients naturels, mais c'est si simple!» Valya me montra une douzaine de petits gâteaux garnis de différents glaçages. Elle en a parlé toute la journée. «C'est si simple!» disait-elle.

Mon mari Igor avait peur de préparer des hamburgers vivants. Il disait : «C'était facile avec de la vraie viande, tu coupes un morceau et tu le fais frire dans l'huile. Mais maintenant je suis supposé créer de la viande avec des carottes?» Il m'avait vu préparer des hamburgers vivants des centaines de fois, mais il craignait que ce soit trop compliqué pour lui. Pendant six ans, il n'a même jamais essayé d'en faire un seul. Puis un jour nous avions plus de convives que prévu. J'étais occupée à préparer la soupe. Qui va faire les hamburgers vivants? Igor n'a pas eu le choix. Il les a donc préparés. Avant même que j'aie terminé la soupe, c'était fait. Depuis, je n'ai jamais fait d'autres hamburgers. Igor a pris la relève. Maintenant, nous appelons ce plat «Igorburger.»

Igor s'est mis à apprécier de plus en plus la préparation d'aliments crus. Il a créé plusieurs plats originaux. Ses craquelins russes Borodinsky sont populaires dans le monde entier. En Islande, Igor a montré comment on prépare un sandwich. Il a placé un hamburger vivant sur des craquelins et l'a décoré avec des olives séchées et du paprika. Les gens qui ont goûté à ses sandwichs crus ont été stupéfaits du goût délicieux. Une femme s'est exclamée : «La vie vaut la peine d'être vécue pour un tel sandwich!»

Si vous voulez apprendre à préparer des repas d'aliments crus, s'il vous plaît lisez attentivement le reste de ce chapitre. Il y a une différence majeure entre apprêter des plats cuits et préparer des aliments crus. Le tableau suivant va vous aider à comprendre pourquoi vous ne pouvez vous en remettre à des recettes classiques pour la préparation d'aliments crus.

Aliments cuits vs aliments crus

∞ Dans les aliments cuits, les ingrédients changent toujours de saveur initiale, résultat de la cuisson.

∞ Les aliments cuits présentent des couleurs pâles et des textures peu attrayantes.

∞ La riche saveur des fruits, des légumes, des noix et des graines crus disparaît presque complètement après la cuisson.

∞ Les aliments cuits ordinaires n'ont pas de saveur et demandent à être rehaussés avec du sel, du poivre ou d'autres condiments.

∞ Le goût des aliments cuits est déterminé par les condiments.

∞ Les condiments ont un goût permanent.

∞ Lorsque vous suivez une recette pour cuisiner un plat, le plus important est de suivre la recette.

∞ Les ingrédients dans les aliments crus ne changent jamais de saveur.

∞ Les aliments crus sont très colorés et naturellement attrayants aux yeux des humains.

∞ La riche saveur originelle des fruits, des légumes, des noix et des graines demeure après la préparation.

∞ Les aliments crus sont naturellement délicieux et demandent très peu ou pas de condiments.

∞ Le goût des aliments crus est déterminé par le bouquet de saveurs des principaux ingrédients. Les fruits, les légumes, les noix et les graines crus ont une vaste gamme de saveurs.

∞ Les ingrédients dans les aliments crus ne changent jamais de saveur.

∞ Lorsque vous préparez une recette d'aliments crus, suivre la recette ne donne pas la garantie d'un résultat délicieux. Vous devez toujours ajuster le goût final.

Étape trois

Dans les plats cuisinés, le sucre est toujours du sucre, la farine est toujours de la farine et le sel est toujours du sel. Dans le monde du cru, aucun citron n'est pareil. L'un est plus gros et a plus de jus, l'autre a une pelure épaisse et est plus sur. Vous pourriez faire la même recette, suivre les mêmes étapes, avec les mêmes mesures, et arriver chaque fois à un résultat différent à cause des variantes inhérentes aux aliments vivants. Du maïs cuit, des courgettes cuites, des petits pois cuits et d'autres légumes goûtent pratiquement la même chose et demandent qu'on leur ajoute de l'huile et du sel, à tout le moins. Le maïs cru, les courgettes, les petits pois et autres légumes ont tous leurs saveurs uniques qu'il est impossible de confondre. Lorsque je prépare un plat cru, j'utilise une recette au départ comme guide général ou seulement pour les ingrédients. Ensuite, j'ajuste le goût final en utilisant la méthode des cinq saveurs. Il y a des centaines de saveurs différentes dans les aliments naturels, mais si nous pouvions équilibrer les cinq saveurs majeures, les aliments seraient si délicieux que chacun s'exclamerait : «Bravo!» Ces cinq saveurs sont : sucré, sur, salé, épicé, amer. Lorsque vous saurez équilibrer ces cinq saveurs, vous préparerez des mets délicieux. Quand les papilles gustatives de votre langue seront excitées par les cinq groupes, vous direz : «Bravo!»

Si vous tentez de préparer un repas délicieux sans cuisson, c'est-à-dire un repas cru, assurez-vous que les cinq saveurs seront présentes au test final et qu'il n'en manquera aucune. Les personnes qui ont préparé des mets crus gastronomiques chaque jour pendant plusieurs mois peuvent dire à coup sûr si un ou deux ingrédients sont absents juste en goûtant à la nourriture une ou deux fois. Les autres ont besoin de goûter cinq fois aux mets qu'ils viennent de faire en se posant chaque fois ces simples questions : «Est-ce assez épicé? Est-ce assez salé? Est-ce assez sucré? Est-ce assez sur? Est-ce assez amer?» Les cinq saveurs n'ont pas besoin d'être prononcées mais juste assez pour un mets particulier. Par exemple, les saveurs les plus prononcées dans un hamburger vivant devrait être le sucré, l'épicé et le salé avec seulement une touche de sur et une touche d'amer. Mais les cinq saveurs doivent être présentes, sinon le hamburger va être fade.

Lorsque vous apprêtez un plat, faites un premier tour d'assaisonnement de cinq cuillerées, puis goûtez. Ce test permet ordinairement de constater que deux à trois saveurs sont absentes. Ajoutez les ingrédients correspondant aux saveurs manquantes, mélangez à nouveau, puis faites un nouveau test. Continuez ainsi jusqu'à ce que les cinq saveurs principales soient équilibrées en un beau bouquet. J'appelle ce processus «ajuster la saveur». Au début, l'ajustement des saveurs prend plus de temps que la préparation. Du même coup, vos mets crus deviendront imbattables.

Peu importe que vous prépariez un gâteau, une vinaigrette ou une escalope de noix, le bouquet des cinq saveurs doit être présent. Pour une raison inconnue, nous pensons que si un aliment est déjà bon pour la santé, il n'a pas à être délicieux. Ainsi nous jetons le céleri et le jus de citron dans le mélangeur, nous les broyons et n'y goûtons même pas. Mais ce mélange peut être insupportablement amer ou trop sur. C'est pourquoi il faut recourir au test de saveur et ajouter ce qui manque.

Après environ un an et demi de consommation d'aliments crus à 100 %, vous allez commencer à constater que vous préférez manger les aliments entiers plutôt que préparés, et cela de plus en plus souvent. À vrai dire, tous les aliments entiers, s'ils sont mûrs, possèdent déjà un bouquet de saveurs équilibrées. Cependant, leur goût est si délicat que, après des années de consommation d'aliments cuits pleins de condiments, nos papilles gustatives n'apprécient pas leur saveur naturelle. C'est pourquoi nous avons besoin d'une période de transition.

La liste suivante suggère des ingrédients pour chacun des cinq groupes de saveurs. Ce n'est qu'une fraction de ce que l'on peut se procurer sur la planète Terre. Plusieurs plantes possèdent différentes saveurs, mais elles en ont une ou deux qui dominent. Vous devez faire preuve de bon sens et ne pas ajouter de vanille à une soupe ou de l'ail à des bonbons. Vraiment, soyez créatif, ce ne sont que des suggestions.

Pour une saveur sure, ajoutez : citron, rhubarbe, citronnelle, herbes amères, oseille, tomates, rejuvelac, noix ou yogourt de graines, vinaigre de cidre de pommes.

Pour une saveur sucrée, ajoutez : fruits séchés tels figues, dattes, pruneaux, raisins; fruits frais tels banane mûre, mangue, pêche, poire; jus de pomme, jus d'orange, miel non pasteurisé ou feuilles fraîches de stévia.

Pour une saveur épicée, ajoutez : feuilles ou gousses d'ail, feuilles ou bulbes d'oignon, gingembre, feuilles de moutarde ou graines de radis, raifort, poivre de Cayenne, poivre, algue wasabé, herbes fraîches ou séchées telles basilic, fenouil, coriandre fraîche, romarin, cannelle, muscade, vanille ou menthe poivrée.

Pour une saveur salée, ajoutez : céleri, coriandre fraîche, fenouil, persil; légumes de mer tels goémon, varech, nori, aramé ou sel de mer celtique.

Pour une saveur amère, ajoutez : persil, feuilles de céleri, endives, ail, oignon, pissenlit, feuilles de laurier, sauge, mélange d'épices à volaille ou poivre de Cayenne.

CHAPITRE ONZE

Étape quatre

**Je vais vivre en harmonie avec les personnes
qui mangent des aliments cuits.**

J'ai une question pour vous. Quelles émotions ressentez-vous lorsque quelqu'un vous dit quoi faire? Il y a eu probablement plusieurs occasions dans votre vie où une autre personne vous donnait son avis et où vous n'étiez pas d'accord. Quelle était votre réaction? Pouvez-vous vous souvenir d'un temps où un ami vous disait quelque chose comme ça : «Gary, tu as besoin de commencer à faire du jogging. Tu commences à engraisser»; ou «Tom, tu devrais enlever ces vieilles serrures»; ou «Paula, tu devrais arrêter de fumer. Tu as des enfants»? Ces suggestions vous ont-elles aidé? Probablement pas. Souvenez-vous lorsque vous étiez enfant et que votre mère ou votre père vous disait : «Tu cours trop dans les rues, tu as réellement besoin de lire plus de livres.» Comment vous sentiez-vous? Étiez-vous immédiatement attiré par les livres? Répondiez-vous : «Oh, merci papa, je vais aller lire sur-le-champ»? Il est probable que vous ayez plutôt éprouvé un sentiment de rébellion, que vous étiez plein de ressentiment et que la dernière chose que vous vouliez faire était de choisir un livre, de vous asseoir et de lire. Voici ce que des élèves ont dit en classe à propos de leurs réactions à des suggestions d'aide non sollicitées en provenance d'autres personnes.

Nancy : Je laissais voir un petit sourire, mais naturellement je ne le faisais pas.

George : Je ne fais que sourire et ignorer.

Dorothy : Je ressentais de la résistance et je hais ce sentiment. Je détestais être forcée et être obligée d'être malhonnête.

Bryan : Je me sentais très sarcastique.

Whitney : Je ne le faisais pas, parce que ce n'est pas mon choix. J'avais de la résistance.

Wendy : Je veux faire plaisir. Je veux faire ce qu'ils me demandent de faire, mais je serais cachottière et je serais pleine de ressentiment.

Carla : Dépression, terrible.

Sam : Parfois, lorsqu'ils pensent que je dois changer quelque chose et même si je pense qu'ils ont raison, je ne le ferai pas, mais je serai fâché de savoir que c'est correct mais que je ne le fais pas. Je vais également ressentir un peu de colère.

Lorsque quelqu'un nous dit qu'il connaît mieux que nous ce qui est bon pour nous, nous avons tendance à être fâchés et ennuyés, comme s'ils voulaient nous contrôler. Nous sommes contrariés, négatifs, et nous nous fermons et envoyons promener leurs conseils. Nous nous sentons attaqués, blessés et mal à l'aise.

C'est exactement ce que notre famille va ressentir si nous arrivons à la maison et annonçons, sur un ton pompeux : «Je suis crudivore maintenant.» Une telle annonce peut être une chose effrayante pour notre famille. Tout ce que nous connaissons et considérons comme normal et prévu dans notre culture sont les aliments cuits. Voulez-vous que ceux que vous aimez éprouvent un sentiment de rébellion, réagissent négativement, se sentent pris au piège, contrôlés ou fâchés? C'est exactement ce qu'ils vont ressentir si vous leur dites un jour : «Je vais manger cru maintenant, aussi ne mangez pas cette cochonnerie devant moi! La seule vue de cela va me rendre malade!»

Nous devons agir à l'opposé. Lorsque vous décidez de manger cru, parlez à votre famille le plus rapidement possible. Expliquez-leur : «Tu sais, chéri, ce n'est pas à propos de toi. Manger cru est le choix que je fais pour moi. Je ne te demande pas de manger cru. C'est parfait pour moi que tu continues à boire de la bière, à fumer tes cigarettes et à manger ton steak favori. Je t'aime tel que tu es. C'est moi qui essaie de changer. Ce n'est pas à propos de toi. Je ne m'attends pas à ce que tu me suives, que tu sois intéressé ou même que tu essaies mes aliments.» N'attendez pas que votre famille demande si c'est correct de manger des aliments cuits devant vous. Prenez de l'avance et parlez-leur tout de suite. Constatez combien ils vont soupirer d'aise.

Nous n'avons pas besoin de parler pour mettre mal à l'aise ceux que nous aimons. Certains d'entre nous lancent des regards qui transmettent le même message que les paroles que nous avons mentionnées précédemment. Par exemple, une femme dans l'une de mes classes me dit : «Ma famille est fâchée par mon crudivorisme, même si je n'ai poussé personne à manger cru. Mon mari est végétalien depuis 30 ans, mon fils a 12 ans et ils me demandent toujours de leur préparer des aliments cuits. Lorsque je leur prépare des mets cuits, je sors de mon régime cru. Je ne sens pas beaucoup d'appui. Mon fils fait toutes sortes de plaisanteries à propos de mes jus verts et il se demande pourquoi je mange mon gâteau avec une cuillère.» Je lui ai répondu : «Peut-être que tu fais quelque chose qui les irrite et dont tu n'es pas consciente. Observe-toi bien et enregistre ces moments. Ne fais pas attention aux autres. Observe et constate ce que tu fais pour contrarier ta famille.» Elle est venue en classe la semaine suivante et me dit : «Je me suis surprise moi-même à envoyer quelques remarques blessantes là où ça fait mal. Je disais quelque chose de blessant ou j'avais l'air dégoûtée ou exclue. J'ai changé mon attitude envers ma famille et eux, en retour, ont changé envers moi, et tout ça en l'espace d'une semaine. Lorsque j'ai commencé à les accepter, ils m'ont acceptée en retour. Maintenant mon mari fait du jus tous les matins et me l'apporte au lit. Il dit : "Chérie, je veux que tu restes à l'alimentation crue." Tout à coup ma maison est devenue un endroit paisible et mon garçon est prêt à essayer tout ce que je fais.»

Je gagne ma vie à donner des cours sur l'alimentation crue et j'ai suivi un régime cru à 100 % pendant huit ans. Mais si quelqu'un m'avait dit il y a dix ans de devenir crudivore, j'aurais été en colère. Je n'étais pas prête. Les aliments cuits créent une dépendance. Abandonner les aliments cuits n'est pas facile. Chacun doit choisir le moment opportun qui lui convient.

Voici maintenant l'exemple de mon amie Tina, de Denver. Elle avait un sérieux problème de santé. Pendant plusieurs mois, elle devait aller à l'hôpital pour subir des examens pénibles très embarrassants. Lorsque nous sommes venus en ville pour lui rendre visite, elle a vu ce que nous mangions et s'est montrée intéressée. Elle demanda : «Peux-tu me montrer comment faire? Je suis prête à essayer parce que je dois être opérée dans deux semaines (une colostomie) et que je préférerais m'en passer.» En l'espace de quelques jours, elle a commencé à aller à la selle régulièrement. Elle est passée aux aliments crus pour de bon. Elle a évité son opération. Elle a compris que pour elle il n'y avait que deux choix : soit les aliments crus, pas de chirurgie, la vie et la santé, soit les aliments cuits, une colostomie et éventuellement la mort. Tina a choisi la vie. Au moment de notre visite, les quatre enfants de Tina étaient des mangeurs de cochonneries et son mari aimait la vodka, les steaks, les côtelettes de porc et le gras de cochon, qu'il avalait comme le saucisson de Bologne. Tina n'a pas dit à sa famille qu'elle allait devenir crudivore. Elle a continué à leur faire la cuisine comme toujours. Elle dit : «Je vais les laisser tranquilles.» J'étais d'accord avec elle. J'ai dit : «Ne leur dis rien. Ne les irrite pas. Laisse-les te laisser seule. Dis-leur que tu n'attends rien d'eux.» Tina ne leur a pas annoncé son changement de régime. Une année passa. Nous traversions Denver et nous sommes arrêtés. J'ai vu le mari de Tina, Sam, et il semblait différent. J'ai dit : «Sam, y a-t-il quelque chose qui ne va pas? Tu as changé.» Il a répliqué avec un large sourire : «Je suis devenu crudivore à 100 % il y a un mois. Toute la famille est contente et les enfants sont au cru aussi.» Sam m'a raconté pourquoi il est devenu crudivore. Un jour, il y a près d'un mois, il est allé chercher Tina au travail. Il est arrivé un peu plus tôt et s'est assis pour l'attendre tout en jetant un regard dans son bureau. Il remarqua combien sa femme était belle. Il vit les clients flirter avec sa femme. Il la regardait à travers de nouveaux yeux. Il vit combien elle était devenue en bonne santé, sexy et belle. Soudain il s'est senti en dehors du coup. Il dit : «Je me suis précipité aux toilettes et je me suis regardé. J'ai vu des boursouflures sous mes yeux, un visage rouge et des cheveux gris pointant partout. J'ai ouvert ma chemise et j'ai regardé tous ces boutons partout sur ma poitrine. Personne ne va flirter avec moi.» Il me confia qu'il avait réalisé que Tina lui apparaissait belle et en bonne santé tandis que lui avait vieilli. Sam décida qu'il avait besoin de changer afin de rester à la hauteur de sa femme. Il dit : «Sur le chemin du retour, je l'ai supplié de m'aider à devenir crudivore comme elle.» Tina était heureuse d'aider son mari à devenir crudivore. Elle dit qu'aussitôt que Sam devint crudivore, les enfants dirent qu'ils voulaient eux aussi le devenir! Sa fille devint mince et belle, et devait passer une audition pour le théâtre. Tout allait merveilleusement bien. Tina dit qu'elle avait senti un appel de Dieu et que les bonnes choses arrivaient dans leur vie comme jamais auparavant. Tina est une femme très intelligente. Elle n'a pas dit un mot à sa famille à propos de son nouveau régime cru. Elle a préparé ses repas et les a appréciés sans mettre de pression sur sa famille. Son corps a guéri et sa famille a observé les changements. Devant son bon exemple, sa famille a fait le choix de la suivre.

Je peux vous donner plusieurs exemples similaires qui montrent l'importance de vivre en paix avec les personnes qui mangent des aliments cuits. Comprenez-vous combien c'est important? C'est crucial! Qu'est-ce que nous faisons dans la vraie vie? Nous faisons l'opposé. Nous ruinons la paix autour de nous. Nous commençons la guerre. Nous irritons les gens avec l'alimentation crue. S'il vous plaît, faites le choix conscient de vivre en paix avec tout ce qui vous entoure. Vous pouvez le faire. C'est à ce moment-là que les miracles se produisent. Lorsque les gens n'ont pas peur que vous exerciez une pression sur eux, ils consentent à coopérer. Nous n'avons pas le droit de contrôler les autres. Nous n'avons pas le droit de nous attendre à ce que les autres personnes changent lorsqu'elles ne sont pas prêtes. Nous n'avons pas le droit de leur dire quoi faire. En fait, notre devoir est d'expliquer aux autres que nous ne nous attendons pas à ce qu'ils changent.

Cela veut-il dire qu'il n'y aura plus du tout de souper de famille? Pourquoi pas? Rentrez à la maison, assoyez-vous avec votre conjoint et dites : «Chéri, ayons un souper de famille. Tu prends plaisir à tes côtelettes de porc et je vais apprécier mon poivron farci. Nous allons parler de notre journée et nous allons apprécier notre temps ensemble.» Avant tout, la famille, c'est une question d'amour. La famille, ce n'est pas une question de nourriture. Lorsque les êtres aimés savent que vous n'attendez rien d'eux, ils peuvent se détendre à vos côtés. Ils peuvent vous aider sans ressentir de pression à changer. Nous, les crudivores, avons fait un choix personnel pour des raisons sérieuses. Nous avons fait le bon choix pour nous, pas le bon choix pour tout le monde.

Lorsque j'ai commencé mon régime d'aliments crus, j'ai fait le contraire de mes recommandations. J'ai demandé à tout mon entourage de commencer un régime cru. Je poursuivais les femmes souffrant d'embonpoint au supermarché en essayant de leur dire combien il est facile de perdre du poids. J'étais tellement enthousiaste à la suite des changements dont ma famille faisait l'expérience. J'ai été emportée. Je me suis fait plusieurs ennemis avant de comprendre que les gens ont besoin de trouver leur propre voie et de décider s'ils la prendront.

Si nous respectons les droits des autres, nous pouvons demander de l'aide aux êtres aimés. Nous devons être sincères et ne pas avoir peur de leur dire : «Chéri, s'il te plaît, aide-moi.

J'ai besoin de ton soutien. J'ai besoin de manger des aliments crus pour ma santé, parce que lorsque je mange des aliments cuits, c'est comme si je m'effondrais. Lorsque je mange des aliments crus, je sens plus d'énergie et j'ai plus d'amour pour toi. S'il te plaît, aide-moi. Je n'ai pas besoin que tu deviennes crudivore. J'ai une idée. Plutôt que de m'acheter du chocolat dimanche, tu vas m'acheter une mangue mûre. Ou n'importe quel fruit exotique me ferait grand plaisir. J'apprécie ta prévenance. Ces biscuits que nous avons dans la maison, il serait tellement bénéfique pour moi que tu les gardes dans ton camion afin que je ne puisse pas les manger dans un moment de faiblesse. J'apprécie tellement ton soutien.»

Soyez ferme avec vos amis, vos compagnons de travail et toute votre parenté. Si vous n'êtes pas ferme, ils vont continuer à vous offrir des aliments cuits. Soyez vulnérable et dites à votre famille et à vos amis : «Écoutez, j'ai besoin de votre aide. Il est très important pour moi et pour ma santé que je m'en tienne à un régime d'aliments crus. Sans votre aide, je ne pourrai y arriver. Appuyez-moi, ne m'offrez pas d'aliments cuits. Vous pouvez manger tout ce que vous voulez, mais ne m'offrez pas d'aliments cuits s'il vous plaît.» Demander leur appui et leur demander d'adopter un régime cru sont deux choses différentes. Les gens vont aimer vous appuyer, car il y a habituellement de l'amour dans nos familles et parmi nos amis.

Millie est un bon exemple. Lorsqu'on lui diagnostiqua un cancer du sein, elle s'est mise au régime cru. Toute sa famille, trois grands garçons et son mari, étaient hostiles et détestaient le mot «cru». Par la suite, Millie a suivi le cours des 12 étapes. La quatrième étape en tête, elle s'est préparée et a réorganisé la communication avec sa famille. J'ai eu de ses nouvelles par courriel quelques semaines après le cours. Elle dit : «Mon mari devient fier de moi. Tout a changé comme par miracle. Ma famille comprend maintenant que j'ai besoin d'appui.» Parce qu'elle avait le cancer, ils ont compris qu'elle avait besoin d'aide et puisqu'elle ne voulait pas qu'ils fassent comme elle et ne le leur demandait pas, elle n'a mis aucune pression sur eux. Ils se sont sentis en harmonie et en paix.

Même si nous aimerions que le reste de notre famille bénéficie des aliments crus, nous ne pouvons contrôler qu'une personne dans le monde, nous. Ce n'est pas de nos affaires de contrôler nos enfants ou nos parents, même s'ils meurent du cancer. J'ai eu ma leçon lorsque ma mère se mourait d'un cancer. J'ai pris l'avion jusqu'en Russie pour lui faire manger des aliments crus afin qu'elle survive. Je travaillais très fort, allant au marché, achetant des carottes et en faisant du jus toute la journée. Le troisième jour, sitôt que je fus partie au marché, ma mère chuchota à mon frère : «Peux-tu me faire quelques œufs brouillés? Je meurs de faim!» À mon retour, la chambre de ma mère était remplie de l'odeur des œufs brouillés. Mon frère dit : «Je ne veux pas te mentir. Elle les a demandés.» À cette minute, j'ai compris combien c'était cruel de ma part de faire pression sur ma mère. Si elle n'est réellement pas prête, quel bien cela peut-il lui faire? Nous venons justement de constater comment nous nous sentons lorsque quelqu'un nous demande quelque chose pour laquelle nous ne sommes pas prêts.

Je connais un jeune homme de Seattle qui m'a dit qu'il était vraiment peiné pour sa mère, car elle endure d'insupportables souffrances. Il m'a dit que lui et sa mère sont très proches. Il dit : «J'espère qu'elle va se diriger vers le cru afin qu'elle n'ait pas à souffrir.» Je lui ai demandé : «Sais-tu que tu la fais souffrir encore plus du fait qu'elle ne répond pas à tes attentes?» Il dit : «Je n'y avais jamais pensé.» Après y avoir pensé, il est allé chez lui et a dit à sa mère : «Tu sais, c'est correct avec moi si tu n'essaies pas mon régime.» Quelques jours plus tard, il m'appela et dit : «Un miracle est arrivé, maman a voulu essayer mes aliments!»

Je rencontre des gens qui commencent à inciter leur famille à passer à l'alimentation crue avant même de l'avoir essayée eux-mêmes. Comme Linda et Jim. Après avoir assisté à un cours sur l'alimentation crue, Linda demanda à Jim de se mettre au cru. Au cours suivant, elle se plaignit que son mari ne l'appuyait pas. Je ne sais comment, mais elle réussit à le traîner au dernier cours. Il avait développé de forts préjugés et entretenait de la résistance envers l'alimentation crue. Après avoir assisté à la conférence, il s'est montré très intéressé. Deux mois plus tard, il m'a appelé pour me dire qu'il était au régime cru à 100 % depuis deux mois, mais que Linda trouvait le changement trop difficile et était revenue aux aliments cuits.

Si les gens autour de vous soupçonnent que vous allez essayer de les faire passer au cru, ils vont vous critiquer afin que vous abandonniez l'alimentation crue. N'argumentez pas avec eux et n'essayez pas de prouver scientifiquement que vous avez raison. Dites-leur plutôt : «Je suis profondément touché de tes inquiétudes à mon sujet, mais crois-moi, je me sens très bien. Comme toujours, les aliments vont continuer à nous unir. Maintenant tu vas manger ton assiette, je vais manger la mienne et nous continuerons à manger ensemble.» Lorsque vous préparez votre repas, ne mettez pas seulement une poignée de germinations dans votre assiette, parce que votre partenaire va penser que vous vous privez de plaisirs. Préparez-vous plutôt une belle assiette appétissante. Plus tard, vos amis et vos partenaires vont être enclins à essayer quelques-uns de vos plats parce qu'ils ont l'air si délicieux. Ensuite, ils vont l'essayer une fois et ils diront : «Ce n'est pas mauvais.»

Parfois, les crudivores exercent une pression très forte sur les personnes aimées en leur demandant de changer. À Phœnix, en Arizona, trois maris opposés au cru se sont unis et ont mis sur pied un club pour les maris oppressés par leurs femmes adeptes des aliments crus. Ils se réunissent une fois par semaine et mangent une pizza cuite. Heureusement, ce chapitre va mettre fin au besoin de créer d'autres organisations comme celles-là.

Qu'advient-il des enfants à la maison pour qui vous devez préparer les repas? Nous avons déjà habitué nos enfants aux aliments cuits et nous devons augmenter lentement la proportion d'aliments crus dans leur régime. Servez plein de fruits et de légumes crus lors des goûters. Apprenez à faire des crèmes glacées vivantes, des laits de noix, des laits fouettés avec du lait de noix, des smoothies, des bonbons vivants, des gâteaux et d'autres aliments que les enfants adorent. Montrez-leur que les aliments crus peuvent être merveilleux. Invitez vos enfants à préparer des aliments crus ensemble. Achetez-leur un mélangeur peu coûteux dans une vente de garage. Mais le plus important, donnez le bon exemple et ne faites aucun drame au sujet des aliments crus. Souvenez-vous, les enfants imitent ce qu'ils voient. Montrez-leur de l'harmonie et de l'amour autour de la table. Nous pouvons tous nous asseoir et apprécier la compagnie de chacun. La famille n'est pas une question d'aliments.

On me demande souvent comment ne pas insulter la parenté qui associe les aliments avec l'amour. Refuser les mets des parents est-il irrespectueux envers eux? Pour répondre à cela, je vous annonce que, à notre prochaine rencontre, je vais apporter un gros litre de vodka et que si vous ne le buvez pas immédiatement avec moi, debout pendant que l'on porte un toast à la santé, je considérerai que vous ne respectez pas mes origines russes. Or, je présume que la plupart d'entre vous n'aurez aucun problème à trouver les bons mots pour refuser mon offre sans m'insulter.

Lorsque je suis allée en Russie et que j'ai refusé les mets traditionnels russes, ma parenté s'est sentie offensée un certain temps, mais lorsqu'ils ont appris combien l'alimentation crue était importante pour moi et pour ma santé, ils n'en ont plus pris ombrage. Oui, j'ai perdu l'amitié de quelques personnes, mais j'ai gagné tellement d'autres amitiés.

Étape quatre

Ma famille en Russie n'a pas entièrement compris ce que je faisais. Ils ont pensé que je m'étais convertie en une folle capitaliste ou en quelque chose d'autre. Mais lorsqu'ils ont appris combien l'alimentation crue était importante pour moi, parce qu'ils m'aiment et que je les aime, j'ai été capable de leur expliquer que c'était pour ma santé. Je leur ai montré ma photo avant et après. Lorsqu'ils ont vu la différence, ils pouvaient dire que j'étais beaucoup mieux qu'avant. Ils ne savaient pas que je pouvais avoir l'air si bien. Comment éviter d'insulter la parenté? À vous de trouver. Vous serez capable de trouver la réponse si vous cherchez vraiment une solution.

S'il y a une atmosphère d'amour dans la famille, il est facile d'arranger les choses. Il y a huit ans, lorsque j'ai annoncé pour la première fois à mon mari que je voulais essayer l'alimentation crue pendant deux mois, il m'a dit : «Il n'en est pas question, je suis un homme russe, je suis habitué au bortsch russe avec ses odeurs de bœuf, de porc et d'épices.» Il dit : «La nourriture unit les personnes et si tu entreprends un régime seule, tu verras, nous allons divorcer.» C'était sa première réaction. J'ai compris d'où venait mon mari. Mais je savais que les aliments crus étaient vraiment importants pour moi, que je trouverais les mots pour lui expliquer que je sentais qu'il n'y aurait pas de vie pour moi sans aliments crus. J'ai senti clairement que l'alimentation crue était une solution pour moi parce que je mourrais littéralement. L'alimentation crue m'a donné un gros espoir de survie. Je savais que je trouverais les mots pour expliquer ça.

CHAPITRE DOUZE

Étape cinq

Je vais résister aux tentations.

Imaginez une île dont tous les habitants seraient crudivores. Il n'y a pas d'odeurs de mets cuits dans les rues, pas de cuisinières ou de fours dans les cuisines, personne ne cuit ses aliments et tous les restaurants offrent seulement des menus vivants. Les panneaux d'affichage demandent «Vous avez du jus d'herbe de blé?» et tous les enfants reçoivent des paniers de fruits exotiques pour l'Halloween. Serait-il facile pour nous de vivre sur cette île? Pourquoi serait-il plus facile de vivre sur cette île que dans notre environnement réel? Il n'y a pas de tentations sur une telle île, tandis qu'il y en a plein dans la vraie vie.

Clarifions le mot «tentation». Qu'est-ce que la tentation? S'il vous plaît, essayez de trouver les réponses vous-même. Je vais vous aider par une série de questions. Y a-t-il une différence entre tentation et désir? La tentation inclut le désir, mais qu'y a-t-il d'autre? Lorsque nous désirons manger un concombre ou caresser un animal, nous ne nous attendons pas à ce qu'il arrive quelque chose de mal, n'est-ce pas? C'est pourquoi nous appelons cela désir, et non tentation. Quand appelons-nous le désir «tentation»? Qu'est-ce que le mot «tentation» a que le mot désir n'a pas? Pensez-y bien afin d'avoir une idée claire de ce qu'est la tentation. Allons à la racine. Nous devons découvrir le sens de ce mot. Y a-t-il quoi que ce soit de négatif dans la tentation? Nous savons que nous ne devrions pas y céder. Pourquoi? Nous appelons tentation quelque chose qui est susceptible de nous faire du mal. À la longue, nous aurons de la douleur, une maladie, la mort ou d'autres problèmes. Ça semble terrible, mais pourquoi la tentation est-elle tentante? Parce qu'elle nous promet du plaisir à court terme. Et quand vivrons-nous cette expérience du plaisir? Instantanément. Et quand la punition arrivera-t-elle? Plus tard, ce qui peut sembler jamais.

Ainsi la tentation est un désir de quelque chose qui nous promet du plaisir à court terme tandis que nous sommes conscients de conséquences ultérieures négatives. Nous anticipons le plaisir rapide. Ce plaisir nous est si cher que nous sommes tentés. Maintenant que nous savons clairement ce qu'est la tentation et combien elle est différente du désir, nous pouvons apprendre à éviter les tentations avec succès.

Croyez-vous que vous pouvez combattre la tentation par le seul pouvoir de votre volonté? Personnellement, je ne connais personne qui peut résister aux tentations. Je rencontre seulement des gens qui savent comment les éviter. C'est pourquoi il vaut mieux pour nous de ne pas nous exposer aux tentations.

Il y a deux genres de tentations, celles qui sont évitables et celles qui sont inévitables. Les tentations évitables sont celles dont vous pouvez vous tenir loin, pratiquement, pendant au moins quelques mois. Les tentations inévitables sont celles que vous ne pouvez pas contrôler quand elles se manifestent.

Savez-vous que vos plus grandes tentations se trouvent dans le domaine des aliments cuits? Elles sont toujours basées sur votre faiblesse personnelle à l'endroit de certains mets cuits. Plusieurs de mes élèves ont nommé un ou plusieurs des aliments suivants : café, chocolat, croustilles de maïs, pommes de terre cuites, pop-corn, bonbons, fromage, pain, pizza, pâtes, riz, biscuits, gâteaux et chips.

La plupart des gens sont conscients de leurs faiblesses. Si vous avez de la difficulté à trouver les aliments qui pourraient vous tenter, les questions suivantes peuvent vous aider. Quelle partie de votre régime d'aliments cuits vous manquera-t-elle le plus? Quels aliments pourraient vous faire dévier de votre régime cru? Qu'est-ce qui vous fait le plus peur dans le passage aux aliments crus ? Connaître nos plus grandes tentations nous aide à repérer les lieux de tentation. Je vais vous donner deux exemples.

Disons que votre plus grande tentation est le pop-corn. Les lieux de tentation pour vous seront donc les cinémas et certains lieux publics. Je classe cette tentation parmi les évitables. Évidemment, s'il y a une machine à pop-corn à votre bureau, je dirais que c'est une tentation inévitable.

Si votre plus grande tentation est le café, les lieux de tentation seront les cafétérias, les cafés, les épiceries fines, les stations d'essence, les réceptions, quelques bureaux et même certaines librairies, ainsi que plusieurs endroits publics. Je considère cette tentation comme inévitable.

Faites l'exercice suivant. Essayez honnêtement de vous souvenir de toutes les tentations dans le domaine des aliments cuits. Écrivez-les. S'il y en a trop, groupez-les en catégories. Ensuite prenez deux feuilles de papier. Sur une des feuilles, écrivez «tentations évitables» et sur l'autre, «tentations inévitables». Tracez une ligne verticale sur chacune des pages. Faites la liste de vos tentations sur le côté gauche. Vis-à-vis de chaque tentation, inscrivez tous les lieux de tentation auxquels vous pensez. Cet exercice vous rendra conscient de tous les lieux où vous pourriez être tenté. Ainsi vous pourrez mieux vous préparer à relever le défi.

Voyons d'abord les tentations évitables. Ce sont par exemple les pâtes, les gâteaux, le chocolat, un plat national particulier et toutes les sortes de chips, à moins que vous ne travailliez dans l'une des usines qui produisent ces aliments. Lorsque vous décidez de commencer un régime cru, faites un effort sérieux et conscient pour ne pas vous exposer à ces produits cuits pendant à peu près deux mois ou plus, ce qui vous permettra de développer votre résistance. Chassez tous les aliments cuits tentants de la maison, du bureau ou de la voiture. Ne laissez aucun aliment favori dans la maison, parce que sa pensée va vous poursuivre jusqu'à ce que vous le mangiez;

vous ne serez pas capable de vous détendre ou de vous concentrer sur votre travail. Lorsque nous avons faim, que nous sommes fâchés, seuls ou dépressifs, nous pensons que manger notre mets favori va nous aider à nous engourdir et à nous donner du plaisir.

Évitez les annonces autant que faire se peut durant à peu près deux mois. Avez-vous déjà remarqué que les publicitaires qui annoncent des boissons alcooliques évoquent une ambiance où tout le monde est souriant? Les publicitaires ne font pas voir les conséquences négatives de l'alcool comme les lendemains de veille, les indigestions et les bagarres. Les magazines et la télévision diffusent plein d'annonces de mets cuits et préparés. La plupart des publicités associent les mets cuits aux événements sociaux heureux. L'idée est que si vous mangez le produit annoncé, vous serez aussi heureux et content que les personnes qui paraissent l'être dans l'annonce. Nous savons tous que l'annonce est une mise en scène et que les personnages ne sont que des acteurs, mais nous avons besoin de cet aliment et de la sensation que nous promet l'annonce.

N'allez pas aux réceptions avant d'être bien aguerri. Fréquentez plutôt les classes d'aliments crus ou les repas partagés. Consacrez vos temps libres à vous exercer à préparer de nouveaux plats d'aliments crus. Plus tard, lorsque vous saurez préparer quelques plats crus gastronomiques, vous pourriez devenir la vedette des réceptions comme le sont plusieurs crudivores.

Nourrissez-vous bien avant d'aller faire votre épicerie pour éviter d'être tenté par tous ces aliments qui vous réclament. Essayez d'éviter les magasins qui offrent des échantillons de mets préparés dans chaque allée. Si vous devez y aller, remplissez-vous la bouche de raisins secs, de noix ou de craquelins. Gardez la bouche pleine et faites non d'un signe de tête lorsqu'on vous offre des échantillons. La période la plus difficile dure habituellement environ deux mois. Faites le maximum pour survivre au régime cru durant cette période.

Étape cinq

Lisez quelques livres sur les drogues. J'ai trouvé ce moyen utile. Créez une île crue autour de vous. Souvenez-vous, ce qui est impossible dans une zone de tentations devient très facile et agréable dans une zone sans tentations.

Maintenant, parlons des tentations inévitables. Ce sont par exemple les aliments cuits que d'autres membres de la famille consomment, les distributeurs automatiques au bureau, une pâtisserie de l'autre côté de la rue qui dégage des odeurs alléchantes chaque matin, le café gratuit au bureau, des gâteries offertes par vos amis, des échantillons gratuits à l'épicerie, la journée pizza à l'école, les repas d'affaires, les bonbons gratuits à la banque, les contenants d'aliments en vrac au magasin, les biscuits gratuits à l'église, les réunions de famille, etc.

Lorsqu'il était question des tentations évitables, notre stratégie principale était de ne pas s'y exposer. Or, il n'y a pas moyen d'appliquer cette stratégie aux tentations inévitables. Que pouvons-nous faire? Faire preuve de maîtrise de soi et de volonté? Nous avons déjà mentionné que nous ne pouvons triompher d'une tentation avec la seule volonté. La volonté permet de résister facilement aux tentations que nous ne côtoyons pas, mais, en face de la tentation, nous succombons.

Cependant, nous pouvons nous préparer psychologiquement à affronter les tentations inévitables sans y céder. Afin de savoir quoi dire dans la situation où quelqu'un nous offrirait subitement un mets tentant, nous devons penser à l'avance à ce que nous dirions, prévoir comment nous réagirions.

Dans mes cours, je montre qui aide les personnes à composer avec les tentations inévitables. En jouant, les élèves s'entraînent à dire non aux tentations poliment. D'abord, ils identifient leurs faiblesses. Ensuite, nous jouons des rôles dans différentes situations où on pourrait nous offrir des aliments tentants. Lorsqu'on leur offre subitement leur aliment préféré, les gens doivent savoir à l'avance ce qu'ils vont dire. Voici un exemple de ce jeu durant un des ateliers. Lara s'est portée volontaire pour jouer le rôle de la «tentée» parce qu'elle veut arrêter de boire du café. Elle est debout en avant de la classe.

Victoria : Lara, es-tu certaine de vouloir cesser de boire du café?

Lara : Oh oui, je m'étais promis d'arrêter pour deux ans et le plus longtemps que j'ai pu tenir a été une semaine. Juste assez pour que le mal de tête passe.

Victoria : Quelle est ta sorte favorite de café et où l'achètes-tu habituellement?

Lara : Le latté. Je l'achète moi-même au Starbucks.

Victoria (aux élèves) : S'il vous plaît, faites des offres tentantes à Lara. Soyez créatifs afin que votre offre semble vraie et difficile à refuser.

Victoria (à Lara) : Lara, tu devras dire : «Non, je te remercie.» En plus, tu dois le faire de telle façon que tu ne rabaisses pas les gens. Dans une vraie situation, quand quelqu'un te donne quelque chose de tout son cœur, tu ne leur dis pas : «Sortez d'ici, je ne bois pas de café.» Exprime sincèrement ton appréciation de leur générosité et fais une offre de rechange comme : «Je te remercie beaucoup, je suis vraiment touchée, mais pouvons-nous boire du jus à la place?» S'ils insistent, reste ferme, dis-leur : «Désolée, je ne peux plus boire de café, j'ai des problèmes de santé.» Ou : «J'ai décidé de cesser de boire du café.» Ou : «Mon médecin ne me permet pas d'en boire.»

Karen : Lara, devine quoi! J'étais au Starbucks, il y avait des rabais extraordinaires et je t'ai acheté ton café latté favori. Le voilà!

Lara : Oh mon Dieu!

Victoria (à Lara) : Qu'est-ce que tu dis?

Lara : Oh Karen, c'est tellement gentil de ta part! Je te remercie. Mais je ne bois plus de café. Je fais de la haute tension. Mais merci! Crois-tu que tu pourrais trouver quelqu'un d'autre qui pourrait l'apprécier?

Karen : Certainement. Je comprends.

Mike : Je suis ton père. Félicitations! Nous t'avons laissé en héritage notre usine de café noir. Tu es riche maintenant. D'après nos vieilles traditions, chaque matin tu goûteras au café frais de la compagnie.

Lara : Mmm, merci papa, je suis tellement émue. Mais mon médecin est sérieusement inquiet au sujet de ma tension artérielle. Crois-tu que nous pourrions laisser notre directeur essayer le café? Ou peut-être pourrais-je symboliquement tenir la tasse sans en boire?

Mike : Je comprends, ma fille. Nous allons trouver quelque chose.

Sarah : Hé, Lara, je suis tellement contente de t'avoir comme amie, parce que j'ai gagné un certificat cadeau chez Starbucks! Pendant un an je pourrai obtenir n'importe quelle sorte de café gratuitement. Et tu sais que je ne bois pas de café. Alors je te le donne. Tiens!

Lara : Ça semble si merveilleux. Je te remercie beaucoup. Mais tu sais, Sarah, tu es une bonne amie et tu vas me comprendre. J'ai décidé de ne plus boire de café pour des raisons de santé. Mais je parie que tu peux penser à quelqu'un d'autre pour offrir un tel cadeau.

Sarah : D'accord.

Jerry : Lara, nous sommes en route depuis plusieurs heures, il est 2 heures du matin et nous tombons de sommeil tous les deux, mais nous devons continuer. Arrêtons-nous à une station-service et je vais nous acheter un peu de café afin que nous puissions poursuivre notre route.

Lara : Merci Jerry, ça me convient si tu achètes du café pour toi, mais je sais par expérience que le café ne pourrait pas m'aider de toute façon. Ainsi, je ferai un petit somme pendant que tu achèteras du café. Peut-être vais-je grignoter quelques amandes!

Marlene : Bonjour Lara, es-tu prête pour notre réunion mensuelle au café? J'ai tellement de nouvelles à te raconter. Allons-y!

Lara : Je suis désolée, Marlène, mais je ne peux aller au café.

Marlene : Comment peux-tu dire ça? Tu n'es donc plus mon amie maintenant?

Lara : Oh Marlene, bien sûr que je suis ton amie et que j'ai hâte de t'écouter, mais mon médecin ne me laisse plus boire de café. Si je vais au café, je serais peut-être tentée. À la place, rendons-nous à un comptoir de jus et je vais te payer un bon smoothie.

Marlene : Mais nous nous sommes toujours rencontrées là, ce ne sera pas la même chose!

Lara : Écoute Marlene, je ne veux pas t'offusquer. Tu es ma meilleure amie et j'ai besoin de ton soutien maintenant. S'il te plaît, comprends-moi.

Marlene : Okay, allons-y pour un smoothie.

Victoria : Lara, peux-tu maintenant dire au groupe ce que tu as ressenti comme changement en toi durant ce jeu? Te sens-tu plus en contrôle maintenant?

Lara : Je suis vraiment étonnée de m'être trouvée aussi vraie. C'était difficile pour moi de dire non, surtout au début. Puis c'est devenu de plus en plus facile. Je peux dire maintenant que c'était la première fois que je disais vraiment non. Auparavant, je ne pensais même pas que je pourrais réagir ainsi dans la réalité. Je sens que j'ai tracé mon chemin. Maintenant j'ai un bon répertoire auquel je peux me référer dans des situations réelles. Merci à tous de votre effort de créativité.

Tous mes élèves ont trouvé ce jeu utile parce qu'il donne des idées en vue de plusieurs situations difficiles. Je vous conseille d'y jouer dans des groupes d'entraide et aux repas partagés d'aliments crus. Chacun devrait avoir la chance d'y jouer au moins une fois.

Les scientifiques qui font des recherches sur les drogues et les substances de dépendance parlent d'une réaction en chaîne. La réaction est plus difficile à arrêter si nous n'avons pas décidé à l'avance comment nous allons agir. Par exemple, lorsqu'un alcoolique a de l'argent dans sa poche pour payer le loyer et qu'il rencontre son ami au coin de la rue, il est vraisemblable qu'il va suivre cet ami dans un bar et dépenser l'argent du loyer pour prendre un coup. C'est cela, une réaction en chaîne. Lorsque vous apercevez un distributeur automatique, la réaction en chaîne consiste à vouloir ce que vous voyez à moins que vous n'ayez déjà prévu une autre réaction. C'est à la maison ou à l'écart des tentations que vous pouvez le mieux prévoir les bonnes réactions. C'est le moment propice pour prévoir ce que vous feriez en cas de tentations inévitables.

Maintenant retournez à vos feuilles de tentations inévitables. Vis-à-vis de chaque tentation, inscrivez vos idées ou vos stratégies de réaction. Par exemple, vous pourriez décider de vous remplir la bouche de raisins secs avant d'aller près du distributeur. Ou si vous vivez dans une maison où il n'y a que vous qui mangez cru, vous pourriez désigner une partie de la cuisine comme zone sans tentations.

Lorsque vous aurez développé un peu de résistance, je vous encourage à aller au restaurant. Vous n'avez pas à rester à la maison, vous sentant isolé pour toujours. Le social est important. Au début, sortir avec un ami sera plus facile. Si vous avez trois ou quatre amis crudivores, vous pourriez sortir ensemble une fois par semaine. Décidez où vous allez vous rencontrer et réservez une table. Chacun apportera sa propre vinaigrette et vous aurez tous beaucoup de plaisir à bavarder et à manger de délicieux aliments crus. De plus, quelqu'un pourra apporter des craquelins crus ou des petites graines germées pour garnir le dessus des salades de chacun. Vous serez tous assis en prenant plaisir à passer votre temps ensemble au restaurant. Nous avons tous besoin de plaisirs collectifs.

Si vous ne savez pas déjà comment faire une vinaigrette délicieuse, mélangez en proportions égales du Bragg avec de la bonne huile et du vinaigre de cidre de pomme, remuez bien et votre vinaigrette est prête. Gardez-en toujours dans votre voiture. Cette vinaigrette va rester fraîche longtemps. Apportez-la au restaurant, versez-en sur votre salade et prenez le temps de savourer votre repas.

Pour faciliter vos sorties et les rendre plus agréables, je vous recommande d'utiliser cette carte formidable que mon ami Jonathan a composée. Reproduisez-la sur un carton, découpez-la et gardez-la dans votre portefeuille. Lorsque je vais au restaurant seule ou avec des amis, je ne me sens pas embarrassée devant tout le monde en essayant d'expliquer à la serveuse effrayée ma demande spéciale. Je lui remets plutôt cette carte avec un sourire. Je pense que tous les chefs apprécient la chance d'être créatifs, parce que les assiettes qu'on me sert arrivent toujours à être vraiment belles.

La Carte de Jonathan

JE NE MANGE QUE DES ALIMENTS CRUS, NON CUITS.

J'aimerais une salade ou un plat de légumes
Avec seulement des aliments frais, non cuits :

Laitue	*Tomates*	*Avocat*	*Carotte*
Courgettes	*Germinations*	*Concombre*	*Céleri*
Brocoli	*Petits oignons*	*Radis*	*Oignons*
Chou-fleur	*Persil*	*Chou*	*Chou frisé*
Épinards	*Coriandre*	*Poivrons*	*Betterave*
Champignons	*Bok choy*	*Arugula*	*Bette à carde*

Merci pour vos efforts de créativité!

Étape cinq

Malheureusement, peu de restaurants offrent des aliments biologiques. Qu'à cela ne tienne, je crois que sortir avec vos amis une fois par semaine vaut mieux que rester seul avec la tentation d'aller manger une pizza. Vous n'aurez pas abandonné votre régime si vous mangez une salade non biologique par semaine. En fait, l'interaction sociale va vous inciter à persévérer dans votre régime d'aliments crus.

En sortant, vous allez vous habituer à être exposé aux tentations et n'y penserez plus. Vous ne pouvez pas toujours rester dans le cocon de votre propre maison. Parfois vous devez mettre le pied dehors et être capable de faire face aux tentations.

Après quelques mois à l'écart des tentations, vous allez remarquer que vous cessez de porter attention aux restaurants et aux aliments cuits en général. Vous pouvez aussi avoir l'illusion que votre dépendance aux aliments cuits est terminée et que vous pouvez manger ou essayer quelques morceaux d'aliments cuits de temps en temps. Lorsque vous allez prendre une bouchée d'aliments cuits la première fois, vous ne sentirez presque rien. Mais le lendemain matin vous pourriez observer que vous avez commencé à penser à nouveau aux aliments cuits et que vous portez attention à n'importe quel aliment cuit que vous apercevez. Si vous succombez à la tentation une autre fois, vous pourriez perdre la paix de l'esprit. Puis il vous faudrait tout recommencer à partir du début. Nous avons décrit l'histoire de notre rechute dans notre livre *Raw family*.

CHAPITRE TREIZE

Étape six

Je vais obtenir du soutien.

En termes simples, trouvez-vous un «ami cru.» Il suffit de trouver une personne dans votre voisinage, dans votre maison ou à votre travail que vous rencontrerez chaque jour pour parler ou partager un repas. Cette étape peut ne pas vous sembler importante ni difficile. Selon moi, un soutien personnel est crucial à la fois au début de l'expérience de crudivorisme et à long terme. Devenir crudivore sans appui personnel me semble presque impossible, tandis que rester au cru avec de l'aide est amusant et facile.

Le plus important est que votre «soutien» appuie ce que vous faites. Vous pouvez appeler cette personne soutien, copain, frère cru, sœur crue, ce que vous voulez. Si vous êtes réellement sérieux, je sais que vous allez trouver la bonne personne pour vous soutenir. Tous les élèves de ma classe des 12 étapes ont trouvé une personne aidante. Dans certains cas, le copain n'est même pas crudivore. Il pourrait être le parent ou le conjoint d'une personne qui souffre d'une maladie. Par exemple, Aneta a un cancer et son mari, qui n'est pas crudivore, a décidé d'être son soutien.

Comment fonctionne le soutien? Psychologiquement, l'opinion des autres est à peu près toujours plus importante pour nous que la nôtre. Rompre un engagement envers d'autres est plus difficile que rompre un engagement envers nous-mêmes.

Par exemple, lorsque vous vous approchez d'un comptoir à salades au restaurant, vous pourriez vous inciter vous-même à manger des aliments cuits. Votre raison dit : «Qui sait si les haricots sont vraiment cuits? Alors vas-y et mets-les dans ton assiette. Et ces betteraves, elle pourraient être crues. Elles sont peut-être seulement fermentées. La fermentation est bonne pour toi. Alors, mets-les aussi dans ton assiette. Et cette mayonnaise c'est moins de 1 % du repas, alors c'est correct.» Mais si vous vous présentez au comptoir à salades avec votre ami qui est conscient de vos efforts et les appuie, à ce moment votre esprit se tait et vous vous comportez correctement. La situation idéale est de partager au moins un repas par jour avec cette personne. S'il vous plaît ne pensez pas que c'est trop difficile. Vous prenez au moins trois repas par jour de toute façon. Pourquoi ne pas partager le déjeuner, le dîner, le souper ou un goûter avec votre soutien?

Lorsque vous soupez seul, vous pouvez dire : «Oh, je suis trop fatigué pour préparer un repas, je vais manger seulement une pomme.» Lorsqu'on se joint à vous, vous devrez préparer quelque chose de plus attrayant. Parfois vous pouvez vous montrer inspiré et créer un plat spécial. Un souper agréable rend la vie crue plus plaisante.

Toute seule, une personne est limitée en temps et en énergie; elle ne peut pas déshydrater, faire pousser des germinations, faire des tartes crues et des biscuits. Lorsqu'il y a deux personnes, chacune d'elles participera à la préparation des aliments. Par exemple, au début vous ferez des salades et votre soutien peut apporter la vinaigrette. Plus tard, vous pourrez apprendre à déshydrater des craquelins et des biscuits, tandis que votre soutien fera des pizzas vivantes ou un gâteau. Votre relation va vous encourager à apprendre à être créatif avec les aliments crus et rendra votre vie plus intéressante.

Si vous n'avez pas de personne soutien et, disons, que vos amis se réunissent pour un souper cuit, vous pourriez vous sentir seul, démuni et tenté. Si la même situation se produit mais que vous avez un soutien, un souper agréable va vous donner de la force. Le soutien nous aide à passer à travers les crises de guérison sans prendre panique. Le soutien nous aide à considérer nos choix et nos actes avec plus de lucidité. Les personnes qui bénéficient d'un soutien sont capables de rester aux aliments crus longtemps et plus facilement que celles qui ne peuvent compter sur une telle ressource. Toutes les personnes que je connais qui ont réussi à maintenir un régime de vie au cru durant plusieurs années ont bénéficié d'un soutien.

CHAPITRE QUATORZE

Étape sept

Je vais trouver des activités
ou des passe-temps de rechange.

Toute mon existence a été centrée sur la nourriture. Je l'ai réalisé dès que je suis devenue crudivore. Lorsque nous mangeons des aliments cuits, nous vivons d'un repas à l'autre. Nous attendons avec impatience chaque goûter. Nous nous récompensons avec de la nourriture. Lorsque nous voulons nous divertir, nous mangeons. Très souvent notre journée se déroule comme ceci : déjeuner, travail, goûter, travail, dîner, travail, goûter, travail, souper, télévision avec goûter, coucher. Pour la majorité des gens, il ne reste que peu de place pour le jeu ou pas du tout.

Lorsque vous commencez un régime d'aliments crus, en quelques semaines vous vous rendez compte que votre consommation alimentaire commence à diminuer. En quelques mois, elle pourrait naturellement se réduire à deux repas par jour. Ensuite vous ne pouvez tout simplement plus continuer à centrer votre vie sur la nourriture. Les personnes qui demeurent centrées sur les aliments commencent à se sentir privées de joie et de plaisirs, et elles finissent par abandonner le régime cru. Si vous aimez mieux manger que n'importe quoi d'autre, vous faites mieux de changer de passe-temps.

Avec l'alimentation crue, votre corps aura besoin de moins de temps pour dormir. Manger moins vous fera économiser de l'argent. Vous aurez aussi plus d'énergie. Que ferez-vous de tout ce surplus d'énergie, de temps et d'argent? S'il vous plaît, ne dites pas avec un sourire : «Pas de problèmes!» Oui, nous savons comment nous comporter avec un surplus d'argent, mais un surplus d'énergie pourrait nous rendre trop nerveux.

Un surplus de temps pourrait nous conduire vers une dépression ou vers une autre dépendance. Surtout si le plaisir le plus important dans la vie, soit les aliments cuits, n'est pas disponible. Le temps et l'énergie sont des trésors si nous les utilisons de la bonne façon. Lorsque vous notez que vous mangez moins, votre vie ne peut plus se centrer sur les aliments. Vous devez trouver de nouvelles choses et bâtir votre vie autour d'elles.

Pensez à un rêve de vie que vous n'avez pas poursuivi. En plus de réaliser votre rêve, adonnez-vous à quelques passe-temps. Portez attention aux trouvailles et aux créations des autres. Rendez-vous à votre YMCA local ou dans un centre récréatif pour avoir des idées et laissez-vous guider par ce qui attire votre cœur.

Voici quelques rêves que les participants à mes ateliers ont révélés :

➤ faire des travaux d'art;
➤ apprendre le français;
➤ écrire un livre;
➤ prendre des leçons de flûte;
➤ faire une excursion;
➤ passer du temps avec mes enfants;
➤ suivre des cours de yoga;
➤ jouer avec des animaux;
➤ aménager un jardin;
➤ prendre des cours de danse salsa;
➤ voyager;
➤ apprendre à coudre;
➤ faire de la plongée sous-marine.

Chaque personne a déjà conçu un rêve qui a peut-être été mis de côté à cause d'un manque de temps. Maintenant vous pouvez donner suite à ce rêve stimulant.

Étape sept

Je recommande aussi de trouver une forme d'activité physique. Cette activité va favoriser l'équilibre entre l'énergie de votre corps et de votre esprit. Si vous avez eu une expérience négative dans le passé avec l'exercice physique, j'ai de bonnes nouvelles pour vous. Lorsque vous serez au régime cru, toutes les activités physiques seront beaucoup plus plaisantes et faciles à exécuter. Plus de picotements, de points de côté ou de crampes, plus de respiration difficile et peu de blessures!

L'alimentation crue reste encore à découvrir pour les athlètes professionnels.

CHAPITRE QUINZE

Étape huit

Je vais laisser mon moi supérieur guider ma vie.

Nous sommes des êtres humains, des êtres spirituels. Nous ne sommes pas seulement des corps humains. Mais les corps humains sont évidents et faciles à percevoir. Notre énergie spirituelle n'est pas aussi évidente et nous commençons à l'ignorer. Notre corps fonctionne avec une énergie similaire aux vagues électromagnétiques qui permettent à nos téléphones cellulaires de fonctionner. Nous pouvons percevoir le téléphone au toucher mais nous ne pouvons sentir les vagues électromagnétiques. Si nous ignorions ces vagues, nos téléphones seraient inutiles.

À notre naissance, nous sommes parfaitement en harmonie avec notre être spirituel. En grandissant, nous apprenons à nous comporter non pas selon ce que nous ressentons mais selon le comportement qu'on attend de nous; nous développons une seconde personnalité, matérialiste. Celle-ci s'adapte si bien à la vie en société que nous l'utilisons de plus en plus. Nous commençons ensuite à identifier cette seconde personnalité avec notre propre moi. Finalement, nous oublions qui nous sommes vraiment. Lorsque nous entendons quelqu'un dire que nous sommes des êtres spirituels, nous avons des doutes. Notre moi matérialiste demande des preuves. Tous les gens sont des êtres spirituels, personne n'est plus spirituel qu'un autre. Cependant, la plupart d'entre nous l'avons oublié.

Être conduit par une personnalité matérialiste est plus sécuritaire et facile pour la carrière et la richesse. Il y a plusieurs autres bénéfices, mais une chose est impossible pour la personnalité matérialiste : ÊTRE HEUREUSE! S'il vous plaît, ne confondez pas le bonheur avec le plaisir. Le plaisir est une émotion à court terme. Lorsque j'achète une nouvelle robe ou que je mange un burrito, je ressens du plaisir. Le bonheur est un sentiment spirituel, un état permanent.

Lorsque c'est notre personnalité matérialiste qui nous mène, nous nous orientons vers le plaisir. Les plaisirs sont des dépendances. Pour mettre fin à nos dépendances, nous devons essayer de notre mieux de nous accorder à notre être spirituel originel. Comment peut-on y arriver? Il y a quelques moyens. Aucun d'entre eux ne garantit un éveil spirituel complet, mais vous devriez être capable de ressentir une connexion avec votre vrai moi.

Passez quelques jours dans la nature. Votre seconde personnalité va dépérir sans environnement social. L'énergie de la nature va interagir avec votre énergie humaine et vous allez commencer à être heureux. Toutes les personnes de ma famille ont fait l'expérience d'un grand bonheur, en 1998, lorsque nous avons fait une randonnée de six jours sur le sentier *Pacific Crest*.

Faites un jeûne à l'eau de sept jours ou plus. Jeûner augmente énormément l'énergie. Vous allez sentir une connexion plus forte avec votre moi spirituel. Ne jeûnez pas si vous ne savez pas comment. Lisez des livres sur le jeûne ou consultez un spécialiste avant de jeûner.

Parlez sincèrement avec un autre être humain pendant deux heures ou plus. La plupart des gens ne parlent jamais sincèrement, mais il est vrai que ce n'est pas facile. Nous confondons «sincèrement» avec «négativement.» Parler sincèrement ne veut pas dire parler de choses négatives à propos de nous, mais plutôt révéler nos émotions et nos passions cachées. Trouvez le bon ami qui va écouter sans répliquer et ne pas vous juger pour vos paroles et vos sentiments. Lorsque vous parlez sincèrement, votre moi intérieur s'exprime par vos lèvres. Vous pourriez être agréablement surpris du pouvoir et de la sagesse de vos propres mots. Aussi ne confondez pas conversation sincère et bavardage amical.

Communiquez avec les animaux. Les chiens, les chevaux, les chats, les chèvres, les chevreuils, etc. ne font pas attention à votre tenue vestimentaire, à la grosseur de votre maison et à votre situation financière. Mais ils peuvent percevoir si vous êtes en paix ou en colère. Ils réagissent à votre nature humaine et vous aident à vous sentir connectés avec votre vrai moi.

Jouez avec des enfants. Ils sont moins conditionnés et moins matérialistes que les adultes. Votre seconde personnalité peut se détendre en leur compagnie.

Si vous rencontrez une personne que vous percevez en lien étroit avec son moi spirituel, fréquenter cette personne peut éveiller votre propre esprit intérieur. Inversement, fréquenter des personnes très matérialistes peut faire taire votre moi spirituel.

Lorsque nous sommes menés par notre personnalité spirituelle, nous nous sentons entiers et heureux. Dans cet état, nous oublions simplement notre apparence et ce que nous mangeons. Lorsque nous sommes heureux, nous nous centrons sur les sujets les plus importants de notre vie. L'alimentation seule est une petite partie de notre existence. C'est pourquoi je pense que laisser votre moi supérieur guider votre vie est plus qu'essentiel.

CHAPITRE SEIZE

Étape neuf

Je vais examiner les véritables raisons pour lesquelles nous cherchons du réconfort et du plaisir dans les aliments cuits.

Voici un échange qui a eu lieu dans un de mes ateliers entre des gens vivant la même expérience. Cet échange vous permettra peut-être de trouver les raisons pour lesquelles vous cherchez du réconfort et du plaisir dans les aliments cuits.

Victoria : J'aimerais que chacun d'entre vous nous fasse part des véritables raisons pour lesquelles il recherche du réconfort dans les aliments. J'aimerais vous répéter que si vous parlez sincèrement, tout le monde sera intéressé à ce que vous avez à dire parce tous se sentiront concernés. Nous avons tous été conditionnés différemment mais nous ressentons tous la même chose. Lorsque nous sommes sincères, les autres, même s'ils ne sont pas prêts à s'exprimer, se reconnaissent dans ce que nous exprimons et deviennent plus téméraires. Ils peuvent penser : «Bon sang! Comment fait-il pour exprimer ce que j'ai peur d'exprimer?» Après un échange sincère, nous nous sentons tous soulagés et sommes plus heureux.

Paul : L'aliment est dans ma bouche avant même que j'y pense.

Sharon : Je veux m'engourdir avec la nourriture. J'ai 18 frères et sœurs. Lorsque j'avais 10 ans, ma mère est morte du cancer. C'est à ce moment-là que j'ai commencé à vouloir m'engourdir.

Simon : Je suis dépendant à la crème glacée. Il est rassurant de savoir qui je pense être, même si je n'aime pas vraiment le reconnaître. La dépendance continue à me définir.

Donna : Je travaille énormément. À la fin de la journée, je veux juste quelque chose qui remplit mon vide.

Victoria : Vous pouvez peut-être essayer de faire d'autres activités comme le jardinage ou l'équitation, auxquelles vous penseriez au courant de votre journée. Bien sûr, vos journées seront encore ardues parfois et les temps difficiles ne disparaîtront pas parce que vous aurez cessé de consommer des aliments cuits.

Paula : J'ai une envie irrépressible de gâteau au chocolat parce que je suis seule et que j'ai parfois peur de m'affirmer et de dire ce dont j'ai vraiment besoin.

John : Lorsque j'ai besoin d'énergie, je me tourne vers les aliments plutôt que de me reposer.

Linda : Lorsque j'étais jeune, ma grand-mère me nourrissait avec des aliments. Je me rends compte maintenant que je peux me nourrir d'une façon différente.

Mike : Je mange par paresse et par ennui.

Victoria : Pourquoi devenez-vous paresseux et vous ennuyez-vous?

Mike : Parce que je vis seul.

Victoria : Est-ce que le fait de vivre seul est une raison suffisante pour vous ennuyer? Pensez-vous que les relations vont apporteront santé et bonheur? Si nous nous sentons seuls quand nous ne sommes pas en relation, nous nous sentirons seuls quand nous le serons. Je vous remercie, Mike, de votre témoignage. Alors pourquoi voulons-nous manger des aliments cuits?

Simon : Parce que c'est réconfortant.

Sharon : J'ai grandi dans un cadre très structuré où je devais manger à des heures précises. Parfois, j'avais faim mais je devais attendre l'heure du dîner. J'ai grandi en craignant de ne pas pouvoir manger quand j'avais faim. Je mangeais donc beaucoup pour ne pas avoir faim.

Julie : J'ai vécu dans une famille contrôlante. L'alimentation était une façon de contrôler ma propre vie et personne n'y pouvait rien.

Étape neuf

Victoria : Nous abordons maintenant une étape importante. Si vous pouvez trouver clairement la raison pour laquelle vous cherchez du réconfort dans les aliments cuits, cette raison pourrait disparaître. Il vous serait ensuite plus facile de ne pas dévier de votre objectif et de continuer à ne manger que des aliments crus. Essayez de trouver cette raison et dites-nous pourquoi vous cherchez du réconfort dans les aliments cuits. Tentez d'être précis et n'ayez pas peur.

John : Dès que je remue mes émotions profondes ou que je me sens vulnérable, je veux manger du sucre pour m'engourdir.

Victoria : Savez-vous comment faire face à ces sentiments sans avoir recours au sucre?

John : Je veux le faire, mais je remets toujours à plus tard.

Victoria : Si nous ne savons pas comment faire face à des sentiments de solitude ou de tristesse sans aliments cuits ou sans sucre, nous ne pourrons pas avancer. Essayons d'entrevoir par nous-mêmes une solution de rechange.

Simon : C'est vrai. Récemment, j'ai vécu une grosse déception qui m'a poussé à consommer de nouveau des aliments cuits.

Victoria : Qu'essayez-vous d'engourdir ou de réconforter? Pourquoi recherchez-vous quelque chose de savoureux? Pour obtenir du réconfort? De quoi? Est-ce que tout le monde comprend la question? Nous examinons sincèrement les raisons pour lesquelles nous cherchons du réconfort dans les aliments. Le simple fait d'être en vie ne nous procure-t-il pas assez de plaisir?

Donna : Je m'ennuie et je veux briser ma routine.

Victoria : Pourquoi votre vie n'est-elle que routine ? La vie est merveilleuse! Vivez pleinement votre vie et dites adieu à la routine. Comprenez-vous ce que j'essaie de vous dire?

Donna : Oui, et parfois c'est ce que je fais. Je veux comprendre pourquoi il m'arrive de ne pas le faire.

Victoria : Nous craignons de nous sentir mal à l'aise sans aliments. D'où provient ce malaise? De la peur?

Linda : En ce qui me concerne, c'est la peur du vide. Je fais des choses pour les autres mais pas pour moi, puis après, je ressens de la colère.

Victoria : Je vous remercie d'avoir mis le doigt dessus! Vous êtes incapable de dire non quand c'est pourtant exactement ce que vous voulez dire. Vous éprouvez ensuite du regret et, pour vous réconforter, vous vous tournez vers la nourriture. C'est important que vous le constatiez maintenant et peut-être que vous ne referez plus la même erreur. Nous sommes tous tout à fait d'accord là-dessus. Bien souvent, lorsque nous entendons parler des aliments crus pour la première fois, nous éprouvons une grande frayeur parce nous croyons que notre faim ne sera pas satisfaite. Nous n'avons pas peur des aliments crus en tant que tels. Nous avons peur du vide.

Mike : Parfois je mange quand je ne veux pas faire autre chose.

Julie : Je suis d'accord. Je mange aussi pour éviter de faire des choses que je dois faire.

Victoria : Il est intéressant que vous utilisiez les mots «choses que je dois faire». Il y a plusieurs années, j'ai décidé de tirer définitivement un trait sur les choses que je «devais» faire. J'ai décidé de ne faire que les choses que «j'aimais» faire. J'ai dû apprendre comment faire le ménage de ma maison avec amour et éprouver du plaisir en classant des documents. C'est quelque chose à quoi il faut penser. Nous pouvons vivre sans le sentiment pesant que nous avons l'obligation de faire ceci ou cela.

Susan : Quand j'étais toute petite, j'ai dû garder tant de secrets. Je me sentais en sécurité en étant médiocre. Je ne veux pas me détacher du lot ou qu'on me remarque.

Victoria : Pouvez-vous penser à d'autres façons de composer avec ce besoin de sécurité? Peut-être pouvez-vous en parler à quelqu'un et que vous vous sentirez en sécurité!

Susan : Je suis en thérapie depuis dix ans.

Donna : Il y a tant de honte là-dedans.

Victoria : Examinons la honte. Qu'est-ce que la honte? C'est se soucier de ce que les autres pensent de nous. Notre opinion de nous-mêmes est importante. J'avais honte de tant de choses dans ma vie, mais lorsque j'ai commencé à en parler, j'ai constaté que cela n'avait aucune importance. Tous les gens à qui j'ai parlé ont ressenti la même chose que moi. Mais j'ai gardé des secrets pendant des années et j'avais une faible estime de moi. Je devais prétendre que j'étais meilleure que tout le monde parce que je croyais le contraire. Ce n'est plus le cas. Je vous félicite, Susan, pour avoir eu le courage, et c'est bien de courage dont il s'agit, de parler devant trente personnes.

Sharon : J'ai vécu une expérience similaire. C'est pourquoi j'ai souffert d'un surplus de poids pendant des années. J'ai maintenant maigri depuis que je suis une adepte de l'alimentation crue. Je sais exactement de quoi vous parlez car je tentais d'éviter d'être plus attirante, d'être plus présente. Cela a valu la peine de faire face à toutes mes peurs parce que je peux enfin être heureuse dans mon corps et affronter les obstacles plutôt que de les fuir. Je suis libre.

Victoria : Nous avons trouvé que la fuite est la véritable raison pour laquelle nous cherchons du réconfort dans les aliments cuits. Lorsque nous cherchons du plaisir dans les aliments cuits ou dans toute autre dépendance, nous cherchons à fuir la solitude, l'ennui, une faible estime de soi, la colère, la peur et d'autres émotions négatives. Nous fuyons au moyen de quelque chose qui nous procure du plaisir. En connaissant les véritables raisons pour lesquelles nous cherchons du réconfort, nous pouvons répondre directement à nos besoins qui ne sont pas comblés plutôt que de les engourdir avec des aliments.

CHAPITRE DIX-SEPT

Étape dix

Je me laisse guider par mon intuition.

Pourquoi l'intuition nous est-elle nécessaire? Ne sommes-nous pas assez intelligents sans elle? N'avons-nous pas assez de connaissances? N'avons-nous pas des spécialistes qui peuvent nous apprendre comment rester en santé? Pourquoi ne pouvons-nous pas compter sur les informations provenant des ordinateurs et des microscopes? La connaissance ne peut JAMAIS remplacer l'intuition!

L'intuition constitue notre instinct naturel de survie. Les instincts naturels de toute chose vivante ont permis à notre planète de conserver un équilibre parfait depuis des milliards d'années. L'intuition est une loi universelle, comme celle de la gravité. Paradoxalement, nous ignorons l'intuition et nous appuyons sur la connaissance. Nous ne croyons pas en notre propre intuition. Nous avons oublié comment la suivre.

Un simple petit ver de farine suit son instinct de ne pas manger de flocons d'avoine s'ils ont été cuits à la vapeur. On cuit les flocons d'avoine à la vapeur précisément pour éloigner les vers. Le ver de farine n'a aucune connaissance, seulement un instinct. Il suit son instinct et ne mange jamais de flocons d'avoine cuits. Les vers de farine jouissent d'une excellente santé. Les gens regardent l'emballage de flocons d'avoine pour lire l'information nutritionnelle. Ensuite, ils mangent des flocons d'avoine cuits et en donnent à leurs enfants. Nous nous demandons pourquoi notre santé décline peu à peu. Si vous voulez vraiment être en bonne santé, vous devez apprendre à écouter votre intuition. Nous ne pouvons pas suivre aveuglément la connaissance. Lorsque nous recevons une nouvelle information, nous devons la soumettre à notre intuition.

Veuillez toucher votre joue avec votre main. Est-elle douce? Touchez maintenant un tapis. La sensation est-elle différente? Comment le savez-vous? Vous sentez que votre joue est douce et que le tapis est rugueux. Comment votre corps est-il en mesure de vous informer de cela? Avez-vous déjà pensé à ça? Faites-vous pleinement confiance aux stimuli que perçoivent vos mains? Pourquoi vous fiez-vous à vos mains? Leur faites-vous simplement confiance? Si j'invite un spécialiste vêtu d'un complet de 1000 $ et d'une magnifique cravate, qui vous prouve scientifiquement que le contraire est vrai, le croirez-vous? Non? Pourquoi? Votre corps n'est qu'une matière quelconque, comme nous l'avons tous appris à l'école.

Si nous avions confiance en notre intuition, nous nous fierions à notre corps. Ensuite, nous pourrions comprendre que notre corps ne se trompe jamais. Notre corps tente constamment de communiquer avec nous par le biais de certaines sensations. Quand notre corps nous fait comprendre qu'il fait froid, nous savons que nous devons mettre un chandail. Quand il a besoin de repos, il crée une sensation de fatigue. Quand il a besoin d'eau, nous avons soif. S'il est chargé de toxines, il peut réduire notre appétit et demander un jeûne à l'eau. Nous ignorons habituellement la plupart des demandes de notre corps. Nous ne nous reposons pas lorsque nous sommes fatigués, nous n'enlevons pas nos talons hauts lorsque nous avons mal aux pieds et nous ne nous arrêtons pas de manger lorsque nous sommes repus. C'est pourquoi nous tombons tous malades.

Si nous pouvions demander à différentes personnes quel fruit elles aimeraient manger aujourd'hui, toutes les réponses seraient différentes. Lorsque vous avez une envie irrépressible de manger un certain fruit ou légume, c'est ce dont votre corps a besoin aujourd'hui au point de vue nutritionnel. Demain, cela pourrait changer. Votre responsabilité est de vous assurer de répondre à ces besoins. Les personnes qui le font sont en meilleure santé et vivent plus longtemps.

J'aimerais vous raconter comment ma famille et moi avons survécu en pleine nature grâce à notre intuition. Au début de notre excursion sur le sentier *Pacific Crest*, nous avions prévu de manger chacun cinq dattes medjoll par jour. Nous n'étions pas habitués à n'en manger que cinq par jour. Les deux premiers jours, nous avons mangé ce que nous devions manger en dix jours et notre prochain paquet nous attendait au bureau de poste situé à 112 kilomètres. Nous n'avions plus rien à manger à l'exception d'un peu d'huile et d'un minuscule sac de graines de tournesol. Nous avons donc décidé de jeûner. Le quatrième jour, nous avions très faim. Nous avons remarqué que la forêt fourmille d'animaux : des ours, des écureuils, toutes sortes de coyotes, beaucoup d'oiseaux, des insectes, et ils survivent tous. Ils ont tous un régime différent. Ils ne meurent pas. Ils ont quelque chose à manger. Sans avoir besoin d'assister à mes cours, tous les animaux savent quoi manger. S'ils peuvent survivre, nous le pouvons également. Nous avons commencé à observer attentivement tous les végétaux qui nous entouraient. Certains ont commencé à nous sembler appétissants. En regardant sous une roche, quelque chose paraissait épais et juteux. Je l'ai essayé… il avait un goût médicinal… comme du parfum. J'ai donné à chacun un sac et j'ai dit : «Lorsque vous voyez quelque chose qui a l'air bon, ramassez-le mais ne le mangez pas.» Rapidement, nous avons rempli chacun un gros sac de végétaux. Nous nous sommes assis et avons regardé ce que nous avions ramassé. Nous avons frotté les végétaux avec nos doigts, senti les feuilles et goûté un peu avec notre langue. Nous avons jeté les végétaux qui goûtaient ou sentaient mauvais, ou qui étaient amers. Nous avons ensuite pris les végétaux qui restaient et Igor a déclaré : «Je vais en manger un peu et nous verrons comment je me sentirai. Si je ne ressens rien de désagréable, nous pourrons tous en manger.» Igor y a goûté. Après une trentaine de minutes, il a déclaré : «J'ai faim, mangeons-en plus.» Alors, nous en avons tous mangé. Le jour suivant, nous avons rempli nos sacs de tous les végétaux comestibles que nous trouvions sur notre chemin. Nous les avons mis dans un bol, les avons saupoudrés de graines de tournesol, de plusieurs gouttes d'huile, et nous avons mélangé le tout. C'était incroyablement délicieux. Nous avons appelé ce plat la'«Salade du randonneur affamé». Lorsque nous la mangions, nous avons tous convenu de continuer à manger aussi simplement à notre retour en ville. Dans la forêt, nous avions appris à nous fier entièrement à notre intuition.

Nous nous sommes perdus de nombreuses fois. Après le troisième mois, nous n'avions plus peur de nous perdre. Nous étions toujours capables de retrouver notre chemin. Je me rappelle le jour où nous nous étions perdus; nous avons dû parcourir une distance de 11 kilomètres pour retrouver notre chemin. Nous avons escaladé une montagne de 2000 mètres et sommes arrivés au sommet couvert de neige. La carte nous indiquait que nous devions aller tout droit au nord pour retrouver le sentier. Cependant, tout droit au nord, il y avait un canyon, une tempête faisait rage et nos sacs à dos étaient lourds et mouillés. Nous avons ignoré la carte et avons pris le chemin qui nous semblait le bon. Après un délai de six heures, nous avons croisé le sentier. Notre intuition nous y avait conduits. Nous avions rencontré toutes sortes d'animaux en cours de route. Nous voyagions comme des animaux, en nous fiant à notre intuition. Nous avions trouvé de la nourriture lorsque nous pensions qu'il n'y en avait pas.

Sur le sentier pédestre, j'ai développé une grande intuition. Je pouvais prédire quand il allait pleuvoir et quand le soleil se lèverait. Je ne peux m'imaginer comment j'ai pu vivre sans cette intuition pendant la plus grande partie de ma vie. Je n'échangerais mon intuition pour rien au monde.

CHAPITRE DIX-HUIT

Étape onze

La clarté est la clé du bonheur.

Si vous suivez votre intuition pendant un certain temps, vous pourriez découvrir que votre perception de la vie change. Un grand nombre de vos croyances vous sembleront fausses. Un grand nombre de vos anciennes opinions sembleront perdre de leur sens. Cela ne vous effraiera pas car votre ancienne connaissance aura fait place à la CLARTÉ. La clarté est le plus beau cadeau que nous puissions recevoir.

Lorsqu'il y a absence de clarté, nous essayons d'accumuler des connaissances. La connaissance ne pourra jamais remplacer la clarté. J'avais l'habitude de croire que la «connaissance est synonyme de pouvoir». Maintenant, je suis consciente que la connaissance n'est même pas de l'information. La connaissance est la façon par laquelle l'être humain explique et interprète les événements de la vie. La clarté est un état d'esprit par lequel nous pouvons voir les événements de la vie comme ils sont, sans la déformation qu'apporte la connaissance. Très souvent, la connaissance nous empêche de profiter d'une clarté véritable. Nous confondons généralement clarté d'esprit et explication claire. Par exemple, si je mémorise le livre *L'anatomie humaine* et que je peux expliquer clairement tout ce qui s'y trouve, cela ne veut pas du tout dire que je possède la clarté sur la façon dont fonctionne le corps humain. Nous avons beaucoup de connaissances et très peu de clarté. Lorsque nous ne comprenons pas la différence entre les deux, nous préférons avoir la connaissance plutôt que la clarté. Il y a début de clarté lorsque nous commençons à suivre notre intuition. Lorsque nous suivons notre intuition, nous travaillons de concert avec la nature et non contre elle.

Nous devenons coassociés et cocréateurs de la vie. Cela nous permet de voir clairement l'harmonie parfaite de l'univers.

À l'aide de la clarté, nous pouvons voir la nature spirituelle des êtres humains. À l'aide de la clarté, nous pouvons sentir que nous ne faisons qu'un avec toutes les choses vivantes. À l'aide de la clarté, nous éprouvons un véritable bonheur. Lorsque nous sommes véritablement heureux, nous ne recherchons pas les plaisirs. Seules les personnes malheureuses visent les plaisirs. Le bonheur est une partie de la loi naturelle. Pour obtenir de la clarté, apprenez à vous déconditionner.

Nous avons beaucoup de conditionnements. Être conditionné signifie avoir des opinions arrêtées sur tout et vivre dans le passé. Ne pas être conditionné signifie vivre dans le présent. Par exemple, lorsque nous vivons près de la montagne, nous admirons au tout début la vue magnifique chaque minute. Après deux mois, nous cessons de remarquer cette montagne. Nous devenons conditionnés à savoir qu'elle est là. Les invités remarquent la montagne parce qu'ils ont une approche nouvelle non conditionnée. Nous pouvons commencer à remarquer la montagne de nouveau si nous la regardons chaque jour avec des yeux nouveaux. Afin de nous déconditionner, nous devons être capables de déceler en nous autant de conditionnements que possible. La conversation suivante que nous avons eue dans un de mes ateliers pourrait vous donner des idées de conditionnements différents.

Victoria : Veuillez partager avec nous un exemple de conditionnement dont vous vous êtes défait. Je vais commencer par moi-même. On m'avait conditionnée à manger tout ce qu'il y avait dans mon assiette à cause des enfants qui mouraient de faim en Afrique.

Linda : On m'avait conditionnée à obtenir de bonnes notes sinon j'étais une mauvaise personne.

Kelly : On m'avait conditionnée à penser que je devais sourire et plaire à tout le monde.

Jim : On m'avait conditionné à être comme tout le monde, à suivre le courant.

Laura : On m'avait conditionnée à être toujours occupée.

Mary : On m'avait conditionnée à m'éloigner des autres, à ne pas partager, à ne pas trop sourire, à ne pas être excitée.

Sharon : On m'avait conditionnée à ce que tout soit parfait à la maison.

Simon : On m'avait conditionné à être en colère.

Donna : On m'avait conditionnée à penser que les hommes sont supérieurs aux femmes.

Val : On m'avait conditionnée à croire que j'étais grosse, laide et stupide.

Marlene : On m'avait conditionnée à être pauvre et inexpressive, et à croire que je n'aurais jamais un surplus d'argent ou les moyens de m'acheter autre chose que le nécessaire.

Shannon : On m'avait conditionnée à croire que j'étais supérieure aux autres parce que je provenais d'un foyer aisé.

Sam : On m'avait conditionné à être un bourreau du travail. Je ne m'autorisais pas à prendre des vacances.

Molly : On m'avait conditionnée à bien m'habiller pour que les gens aient une bonne opinion de moi.

Chris : On m'avait conditionné à plaire à tout le monde parce que je n'en valais pas la peine.

Victoria : Je vous remercie. Vous voyez, nous possédons tous tant de conditionnements en commun. Un très grand nombre de ces conditionnements se retrouvent en moi. Les conditionnements sont comme des chaînes qui entravent notre liberté. Nous ne pouvons que tirer profit de la découverte de ceux-ci.

CHAPITRE DIX-NEUF

Étape douze

Je vais soutenir les autres crudivores.

Veuillez vous rappeler la première personne dans votre vie qui vous a parlé de l'alimentation crue. Qui était votre premier professeur d'alimentation crue? Pensez à ces personnes avec gratitude. Qu'avaient-elles de spécial? Pourquoi aviez-vous confiance en elles? Faisaient-elles preuve de patience et d'empathie envers vous? Ont-elles partagé un délicieux repas cru avec vous? En quoi votre vie serait-elle différente si vous ne les aviez jamais rencontrées? Vous avez maintenant terminé les 12 étapes et êtes devenu un crudivore fort. C'est à votre tour de faire preuve de patience et d'empathie à l'endroit des autres.

Que pourrait-il y avoir de plus agréable que d'aider ceux qui désirent une meilleure santé? Être en bonne santé et servir d'exemple est la meilleure façon de soutenir les autres.

Vous souvenez-vous de votre premier repas partagé d'aliments crus? Étiez-vous excité par l'abondance de plats? C'est maintenant à votre tour d'encourager les autres. Même si vous mangez simplement maintenant, essayez d'apporter des mets crus gastronomiques aux repas partagés. N'apportez pas seulement quelques feuilles de chou frisé ou un bol de fruits. Prenez votre temps, dépensez 10 ou 15 $ de plus et ensoleillez l'avenir des nouveaux crudivores.

Je crois que nous sommes tous de grands professeurs universels. À titre de professeurs, nous avons des disciples. Qui pourraient être vos élèves? Des gens qui souffrent? Vos proches atteints d'une maladie mortelle? Selon mon expérience, vous vous trompez complètement. Aidez ceux qui vous posent des questions sur votre mode de vie. Devenez leur «soutien crudivore». Les personnes qui veulent en savoir plus sur l'alimentation crue ne peuvent compter sur personne d'autre que vous. Passez du temps avec eux, parlez-leur, écoutez-les, préparez des repas ensemble, allez au restaurant avec eux et prêtez-leur vos livres. Être un soutien crudivore est aussi le meilleur moyen de vous soutenir également.

Combien de personnes croyez-vous honnêtement influencer en étant crudivore? Pensez à toutes les personnes que vous côtoyez dans une journée. Tous vos voisins, parents, collègues de travail et les gens qui vous voient acheter et manger des aliments santé. Le caissier à votre épicerie locale, vous voyant acheter des sacs de carottes de 20 kilos, vous demande : «Avez-vous un cheval?» Lorsque vos enfants vont à l'école et disent à leur professeur : «Dans notre famille, nous mangeons de la salade tous les jours», n'influencent-ils pas même le professeur?

Et si je n'avais pas opté pour l'alimentation crue? Que serait-il advenu de tous mes élèves? Un grand nombre de mes anciens élèves gagnent maintenant leur vie en donnant des cours d'alimentation crue.

Vous ne savez jamais quand vous allez semer une graine. Combien de personnes pouvez-vous influencer au courant d'une vie? Tôt au tard, je crois, la planète entière.

12 ÉTAPES VERS UNE ALIMENTATION CRUE

Étape 1   J'admets que j'ai perdu le contrôle de ma dépendance aux aliments cuits et que mon alimentation est devenue incontrôlable.

Étape 2   Je crois que l'alimentation végétalienne vivante est le régime le plus naturel pour un être humain.

Étape 3   Je vais acquérir les compétences nécessaires, apprendre des recettes de base d'alimentation crue et obtenir le matériel requis pour préparer les aliments vivants.

Étape 4   Je vais vivre en harmonie avec les personnes qui mangent des aliments cuits.

Étape 5   Je vais résister aux tentations.

Étape 6   Je vais obtenir du soutien.

Étape 7   Je vais trouver des activités ou des passe-temps de rechange.

Étape 8   Je vais laisser mon moi supérieur guider ma vie.

Étape 9   Je vais examiner les véritables raisons pour lesquelles nous cherchons du réconfort et du plaisir dans les aliments cuits.

Étape 10   Je me laisse guider par mon intuition.

Étape 11   La clarté est la clé du bonheur.

Étape 12   Je vais soutenir les autres crudivores.

RECETTES

CHAPITRE VINGT

Recettes

Jus vert familial cru

Bien mélanger ces ingrédients dans un mélangeur :

Une grosse poignée de chou frisé (hachés)
2 pommes moyennes (hachées)
1 citron avec sa pelure (hachés)
1 tasse d'eau

Passer le liquide dans un sac de lait de noix ou germinations.

Donne de 3 à 4 portions.

BORTSCH

Bien mélanger ces ingrédients dans un mélangeur ou un Vita-mix[6] :

 2 tasses d'eau
 3 betteraves
 1 morceau de gingembre frais (le trancher d'abord)
 3 à 4 grosses gousses d'ail
 6 à 7 feuilles de laurier

Verser la préparation dans un grand bol.
Mélanger les ingrédients suivants pendant environ 30 secondes :

 2 tasses d'eau
 2 carottes
 2 branches de céleri
 2 c. à soupe de vinaigre de cidre
 3 à 4 oranges, pelées et épépinées (les pépins donnent un goût très amer)
 1 c. à soupe de miel
 1 tasse d'huile d'olive
 Sel de mer au goût

Ajouter 1/2 tasse de noix de Grenoble et mélanger très rapidement à basse vitesse afin de les briser en petits morceaux sans les réduire en purée. Verser dans le même bol et remuer.

Couper en dés ou râper :
 1/4 tête de chou
 1 à 2 carottes
 1 botte de persil

Ajouter les ingrédients râpés. Remuer et servir.

Donne de 7 à 10 portions.

---

[6] Vita-mix : marque de commerce d'un mélangeur à capacité commerciale, possédant plusieurs fonctions intéressantes.

Recettes
SOUPE AU POULET VÉGÉTAL ET AUX NOUILLES

Très bien mélanger pendant 1 à 2 minutes :

2 tasses d'eau
1/2 tasse de noix de coco (râpée, non sulfurée)

Ajouter les ingrédients suivants et mélanger pendant environ 1 minute :

2 tasses de céleri (haché)
2 c. à soupe de liquide Bragg
1 gousse d'ail
poivre au goût, si désiré

Verser dans un grand bol et ajouter :

1 carotte moyenne (râpée)
1/4 botte de persil (hachée)
2 pommes de terre moyennes crues, râpées ou passées au *Saladacco*
champignons tranchés (facultatif)

Donne 7 portions.

RECETTE DE BASE D'UNE CHAUDRÉE ✓✓

Mélanger 1 tasse de noix de coco avec 1 tasse d'eau pendant 1 minute dans le Vita-Mix ou pendant 2 minutes dans un mélangeur ordinaire.

Ajouter 1 tasse de noix d'acajou et mélanger pendant encore 1/2 minute. Ajouter les ingrédients suivants et bien mélanger :
  1 tasse d'eau
  1/2 tasse d'huile d'olive extra vierge
  1 c. à thé de miel
  1 tasse de céleri haché
  piments forts au goût
  2 à 5 gousses d'ail

Vous avez maintenant une chaudrée ordinaire. *Choisissez la saveur :*

Pour obtenir une chaudrée à saveur de palourdes, ajouter : des flocons de dulse
• saveur de brocoli, ajouter : du brocoli haché
• saveur de champignon, ajouter : vos champignons préférés, séchés ou frais
• saveur de tomate, ajouter : des tomates hachées
• saveur de carotte, ajouter : des carottes râpées
• saveur de maïs, ajouter : du maïs frais ou congelé
• saveur de pois, ajouter : des pois frais ou congelés

Créez votre propre chaudrée…
Saupoudrer de flocons de persil secs avant de servir.

Remarque : Cette soupe deviendra tiède en raison de la chaleur dégagée au cours du mélange. Il s'agit tout de même d'une soupe crue. (Ne la laissez pas devenir brûlante!) Les soupes tièdes sont réconfortantes pendant l'hiver. Donne 5 portions.

Recettes
CHILI ✓✓

Mélanger les ingrédients suivants dans un mélangeur :

1 tasse d'eau
2 tasses de tomates fraîches (hachées)
1/2 tasse de dattes ou de raisins secs
1/2 tasse d'huile d'olive extra vierge
1 tasse de tomates séchées au soleil
1 tasse de champignons déshydratés
1 tasse de céleri haché
sel ou liquide Bragg au goût
1 à 2 c. à soupe d'assaisonnements à spaghetti
1 à 2 c. à soupe de jus de lime ou de citron
piments forts au goût
2 à 5 gousses d'ail
1 botte de basilic

Ajouter 200 grammes de haricots, de lentilles ou de pois germés. Ne pas mélanger! Saupoudrer de flocons de persil séchés avant de servir.

Remarque : Le chili deviendra tiède en raison de la chaleur dégagée au cours du mélange. Il s'agit tout de même d'un mets cru. (Ne le laissez pas devenir brûlant!) Les mets tièdes sont réconfortants pendant l'hiver. Donne de 5 à 7 portions.

GASPACHO

Mélanger les ingrédients suivants dans un mélangeur jusqu'à ce que la préparation soit lisse :

1/2 tasse d'eau
1/4 tasse d'huile d'olive extra vierge
5 grosses tomates mûres
2 gousses d'ail ou piment fort au goût
1 c. à soupe de miel cru (les dattes ou les raisins donnent un aussi bon résultat)
1/4 tasse de jus de citron
1/2 c. à thé de sel de mer
1 botte de basilic frais

Vous avez maintenant un gaspacho liquide.
Couper les légumes suivants en dés de 0,6 cm :

1 gros avocat
1 poivron moyen
5 branches de céleri
1 petit oignon

Mélanger tous les ingrédients dans un bol et saupoudrer de persil haché.

Donne de 4 à 5 portions.

RECETTE DE BASE DE VINAIGRETTE

Mélanger les ingrédients suivants dans un mélangeur jusqu'à ce que la préparation soit lisse :

Huile (n'importe quelle bonne huile comme l'huile de sésame, d'olive, de carthame). En utiliser assez pour recouvrir les couteaux du mélangeur.

1 c. à thé de miel (ou n'importe quel autre édulcorant naturel comme les raisins secs ou la banane)

2 c. à soupe de jus de citron frais (jus de lime ou vinaigre de cidre)

1/3 tasse d'eau

1 tasse de fines herbes hachées ou 1 bouquet de fines herbes — fraîches, de préférence! (céleri, persil, coriandre, basilic ou autre)

épices au goût (ail, moutarde, gingembre, piment jalapeño, etc.)

1/3 tasse de graines ou de noix (les plus courantes sont les graines de tournesol et le tahini; on retrouve également les noix de Grenoble, les graines de citrouille, les amandes, etc.)

1/2 c. à thé de sel (sel de mer, varech, dulse, liquide Bragg) ou plus ou moins, ou aucun sel

N'ayez pas peur d'improviser. Vous pouvez parfois ajouter plus de liquide ou omettre un ingrédient. Si l'ingrédient a bon goût, ajoutez-le. Bonne chance!

Donne de 7 à 10 portions.

LES CRAQUELINS D'IGOR ✓✓

Moudre 2 tasses de graines de lin dans un contenant du Vita-Mix. Mélanger :

1 tasse d'eau
1 gros oignon (haché)
3 branches de céleri (hachées)
4 gousses d'ail (moyennes)
2 tomates (facultatif)
1 c. thé de graines de carvi
1 c. thé de graines de coriandre
1 c. thé de sel celtique

Ajouter les graines de lin moulues dans la préparation et mélanger à la main.

Couvrir la pâte avec une étamine ou une serviette. Laisser reposer dans un bol à la température de la pièce (s'assurer qu'il fait chaud) pendant la nuit afin qu'elle fermente légèrement.

À l'aide d'une spatule, étaler la pâte sur des feuilles de déshydratation teflex[7]. Diviser en carrés de la grosseur désirée. Déshydrater[8] jusqu'à ce que les craquelins soient secs mais non croustillants si on veut qu'ils aient le goût du pain. Ou les laisser bien sécher pour qu'ils soient croustillants et se conservent pendant quelques mois.

Donne de 25 à 32 craquelins.

---

[7] Teflex : feuille souple sur laquelle on peut faire déshydrater diverses préparations. À défaut, utiliser un grillage en plastique.
[8] À défaut d'un déshydrateur, utiliser le fourneau réglé au plus bas (maximum de 110 °F).

Recettes
PAIN CRU DE VALYA

1 tasse de graines de lin moulues
1 tasse de kamut germé pendant 1 journée
1 tasse de noix de Grenoble trempées toute la nuit
1 tasse de céleri haché
2 c. à thé de graines de carvi trempées durant la nuit
2 c. à soupe de coriandre
1 gros oignon
1/2 tasse d'eau
1/2 tasse d'huile d'olive
1/2 tasse de raisins secs
le jus d'un demi-citron
1 c. à thé de sel

Mélanger les noix trempées, le kamut et l'oignon dans le robot culinaire jusqu'à ce que la préparation soit hachée finement. Transférer dans un bol et ajouter les graines de lin moulues. Mélanger ensuite le céleri, l'huile d'olive, les raisins secs et l'eau dans un mélangeur. Combiner les deux préparations. Ajouter le sel, la coriandre, le jus de citron et les graines de carvi et bien mélanger. Donner à la préparation la forme de petits pains et les placer sur un plateau de déshydratation teflex. S'assurer de saupoudrer les pains de noix broyées ou de graines de pavot. Mettre dans le déshydrateur à 100 °F, pendant environ 24 à 36 heures. Vous devrez peut-être retourner les pains après environ 12 à 15 heures afin que les deux côtés sèchent uniformément.

Donne de 5 à 7 pains.

HAMBURGERS VIVANTS DU JARDIN √√

couper de moitié

Moudre 500 grammes de vos noix préférées dans un robot culinaire. Combiner les ingrédients suivants et utiliser le Champion muni du flanc ou moudre dans un robot :

> 500 grammes de carottes
> 1 oignon moyen
> 1 c. à soupe d'édulcorant (miel, banane très mûre, raisins secs)
> 1 c. à soupe d'huile
> 1 à 2 c. à soupe d'assaisonnement naturel pour volaille (ou autre assaisonnement)
> sel de mer au goût
> 2 à 3 c. à soupe de levure alimentaire (facultatif)

Si la préparation n'est pas assez ferme, ajouter un ou deux des épaississants suivants : aneth, ail séché, oignon séché, flocons de persil séchés, levure alimentaire, poudre de psyllium, graines de lin moulues.

Façonner en boulettes, en escalopes ou en filets et saupoudrer d'un peu de paprika avant de servir.

Remarque : Si vous voulez un «burger au poisson», ajoutez des algues (dulse, varech, nori) à la préparation.

Donne 10 portions.

Recettes
BURGERS AUX CHAMPIGNONS PORTOBELLO

Moudre 500 grammes de vos noix préférées dans un robot culinaire. Combiner les ingrédients suivants et utiliser le Champion muni du flanc ou moudre dans un robot :

> 500 grammes de carottes
> 1 oignon moyen
> 1 c. à soupe d'édulcorant (miel, banane très mûre, raisins secs)
> 1 c. à soupe d'huile
> 1 à 2 c. à soupe d'assaisonnement naturel pour volaille (ou autre assaisonnement)
> sel de mer au goût
> 2 à 3 c. à soupe de levure alimentaire (facultatif)

Si la préparation n'est pas assez ferme, ajouter un ou deux des épaississants suivants : aneth, ail séché, oignon séché, flocons de persil séchés, levure alimentaire, poudre de psyllium, graines de lin moulues.

Façonner en 10 burgers. Trancher 2 grosses tomates mûres et 1 gros oignon rouge. Préparer :

> 10 petits (ou 5 gros) chapeaux de champignons Portobello
> 10 feuilles d'épinard frais

Assembler les burgers de la façon suivante : disposer un chapeau de champignon à l'envers sur une assiette. Y mettre une feuille d'épinard, un burger, une tranche de tomate et une tranche d'oignon. Vous pouvez fixer votre sandwich à l'aide de cure-dents.

Donne 10 portions.

FRITES VIVANTES

Trancher 500 grammes de dolique bulbeux[9] en forme de frites.

Combiner dans un bol avec :

     1 c. à soupe de poudre d'oignon
     2 c. à soupe d'huile d'olive extra vierge
     sel de mer au goût
     1 c. à soupe de paprika

Donne 5 portions.

[9] Sorte de navet légèrement aplati aux deux extrémités (en anglais : jicama)

Recettes
PIZZA VIVANTE

Croûte : Moudre 2 tasses de graines de lin dans un contenant
sec du Vita-Mix. Mélanger :   *Croûte ?*

    1 tasse d'eau
    1 gros oignon (haché)
    3 branches de céleri (hachées)
    2 tomates (moyennes)
    4 gousses d'ail (moyennes)
    1 c. à thé de sel celtique

Ajouter les graines de lin moulues dans la préparation et
mélanger à la main. À l'aide d'une spatule, étaler la pâte sur
des feuilles de déshydratation. Diviser en carrés de la grosseur
désirée. Déshydrater jusqu'à ce que la croûte soit sèche mais
non croustillante.

Garniture : Mélanger les ingrédients suivants avec aussi peu
d'eau que possible :

    500 grammes de n'importe quelle sorte de noix
    1/2 tasse de tomates séchées au soleil
    1/2 tasse de raisins secs
    le jus d'un citron moyen
    2 c. à soupe d'huile d'olive
    1 c. à soupe de basilic séché

Verser dans un bol. Ajouter :

    1 c. à soupe de poudre d'oignon
    1 c. à soupe de poudre d'ail
    2 à 3 c. à soupe de levure alimentaire
    1 c. à soupe de miso

Bien mélanger.

Préparation de la pizza :
Étaler la garniture sur les carrés de croûte.
Décorer de patates sucrées râpées, de tomates cerises tranchées,
de champignons tranchés, d'olives tranchées et de persil haché.

Donne 9 carrés de pizza.

ROULEAUX DE NORI ✓

Pâté :

> 1/2 tasse de noix de Grenoble
> 2 tasses de graines de tournesol trempées toute la nuit
> 3 gousses d'ail
> 1 tasse de céleri haché
> 1 1/2 c. à thé de sel
> 1/3 tasse d'huile d'olive
> 1/2 tasse de jus de citron
> 1 c. à thé de poudre de cari (ou de votre assaisonnement préféré)

Autres ingrédients :

Trancher les ingrédients suivants en longues lanières minces :

> 1/2 avocat
> 1/2 gros poivron
> 2 petits oignons verts
> 5 feuilles de nori crues

Mélanger tous les ingrédients du pâté dans un robot culinaire jusqu'à ce que la préparation soit crémeuse.

Étaler le pâté sur une feuille de nori et ajouter les légumes tranchés finement. Enrouler fermement. Remarque : Pour que les feuilles de nori collent mieux, vous pouvez les humidifier avec un peu d'eau, de jus de citron ou de jus de tomates ou d'orange. Laisser les rouleaux de nori reposer pendant 10 minutes et les trancher ensuite en tranches de 5 cm.

Donne de 10 à 15 rouleaux de nori.

SPAGHETTI VÉGÉTAL ✓✓

Râper en filaments une courge Butternut ou utiliser le
Saladacco pour tailler des lanières minces ressemblant à des
nouilles. Saupoudrer de paprika et d'huile avant de servir.
Garnir de persil frais.

Sauce aux tomates et au basilic :

Mélanger 2 tasses de tomates fraîches hachées.
Ajouter les ingrédients suivants et mélanger :

> 2 à 4 gousses d'ail
> 3/4 tasse de basilic frais haché
> le jus d'un citron moyen
> 2 c. à soupe d'huile d'olive
> 4 dattes (ou quelques raisins secs)
> 1 tasse de tomates séchées au soleil

Donne 7 portions.

FROMAGE DE NOIX OU DE GRAINES

2 tasses de n'importe quelles noix ou graines trempées toute la nuit
1 1/2 tasse d'eau pure

Faire tremper les noix et les graines dans l'eau pure durant toute une nuit. Égoutter et rincer. Verser dans un mélangeur avec 1 tasse d'eau pure et bien mélanger jusqu'à ce que les noix aient une consistance crémeuse. Verser dans un sac à germinations (ou une étamine). Suspendre le sac au-dessus de l'évier ou d'un bol (pour recueillir le petit-lait) et laisser fermenter à la température de la pièce pendant environ 8 à 12 heures.

Transférer le fromage dans un bol, mélanger avec vos assaisonnements préférés et bien remuer.

Donne un demi-litre. Se conserve au réfrigérateur pendant au moins sept jours dans un contenant couvert.

Pour aromatiser le fromage de noix, vous pouvez utiliser n'importe quelle combinaison des ingrédients suivants : ail, jus de citron, coriandre fraîche hachée, liquide Bragg ou Nama Shoy, poudre de cari, persil frais haché ou séché, aneth frais haché ou séché, tomates séchées au soleil, échalotes hachées, basilic, huile d'olive, sel de mer.

FROMAGE D'AMANDES ÉPICÉ DE VALYA ✓✓

Mélanger les ingrédients suivants dans un bol :

> 2 tasses de pulpe d'amandes (ce qui reste lorsqu'on prépare du lait d'amandes – ne devrait pas être sucrée)
> 1/4 tasse d'huile d'olive
> 1/2 tasse de jus de citron
> 1/2 c. à thé de sel
> 1/4 tasse d'aneth frais ou séché
> 1/2 tasse d'oignons coupés en dés
> 1/2 tasse de poivron rouge coupé en dés

Garnir de tomates cerises.

Donne 4 portions.

PÂTÉ AUX PACANES ✓✓ *dans pistri*

Mélanger les ingrédients suivants dans un robot culinaire jusqu'à ce qu'ils soient hachés finement :

> 3 tasses de pacanes crues trempées toute la nuit
> 1/2 tasse de dattes
> 3 gousses d'ail (le piment fort est très bon)
> 1/4 tasse de jus de citron
> 1/4 tasse d'huile d'olive
> 1/4 tasse de coriandre fraîche
> 1/2 c. à thé de sel de mer

Utiliser le pâté pour farcir les poivrons, les feuilles de chou, les rouleaux de nori, etc.

Donne de 5 à 6 portions.

TARTINADE ENSOLEILLÉE ✓✓

> 1/2 tasse de noix de Grenoble
> 2 tasses de graines de tournesol trempées toute la nuit
> 3 gousses d'ail
> 1 tasse de céleri haché
> 1 1/2 c. à thé de sel
> 1/3 tasse d'huile d'olive
> 1/2 tasse de jus de citron
> 1 c. à soupe de basilic séché

Mélanger les ingrédients dans un robot culinaire jusqu'à ce que la préparation soit lisse. Faire preuve de créativité et servir sur des craquelins, tartiner sur une feuille de chou ou farcir des poivrons.

Donne 12 portions.

HOUMMOS DE SERGEÏ

Mélanger les ingrédients suivants dans un robot culinaire :

2 tasses de pois chiches germés pendant 1 journée
1/2 tasse d'huile d'olive extra vierge
1 tasse de tomates (hachées)
1 tasse de céleri (haché)
sel ou liquide Bragg au goût
1 à 2 c. à soupe d'aneth ou de basilic séché ou 1 tasse
d'aneth ou de basilic frais
1 à 2 c. à soupe de jus de lime ou de citron
piments forts au goût
2 à 5 gousses d'ail

Saupoudrer de flocons de persil séchés avant de servir.

Donne de 5 à 7 portions.

RECETTE DE BASE DE GÂTEAU

Croûte :

Combiner les ingrédients suivants, en mélangeant bien :

    1 tasse de noix, de céréales ou de graines moulues

    1 c. à soupe d'huile

    1 c. à soupe de miel

Ingrédients facultatifs :

    1/2 tasse de fruits frais hachés ou broyés (ou baies) ou 1/2 tasse de fruits séchés, trempés pendant 1 à 2 heures, puis moulus

    1 c. à thé de vanille

    1/2 c. à thé de muscade

    1/2 tasse de poudre de caroube crue

    zeste de 4 mandarines, bien moulu

Si le mélange n'est pas assez ferme, ajouter du psyllium ou de la noix de coco râpée. Étaler sur une assiette plate puis former une croûte.

Garniture :

Bien mélanger les ingrédients suivants; ajouter de l'eau au besoin à l'aide d'une cuillère à thé :

    1/2 de fruits frais ou congelés

    1/2 tasse de noix (les noix blanches sont jolies)

    1/2 tasse d'huile d'olive

    2 à 3 c. à soupe de miel

    le jus d'un citron moyen

    1 c. à thé de vanille

Étaler uniformément sur la croûte. Décorer de fruits, de baies et de noix. Donner un nom à votre gâteau. Réfrigérer.

RECETTE DE BASE DE GÂTEAU *(SUITE)*

Noix, céréales et graines : amandes, noix de Grenoble, avelines, noix d'acajou, noix de pin, pacanes, graines de tournesol, de lin, de sésame ou tahini, farine d'avoine ou flocons d'avoine, sarrasin, kamut ou orge.

Fruits séchés : pruneaux dénoyautées, raisins, abricots, dattes, figues ou raisins de Corinthe.

Fruits frais et baies : fraises, pommes, bananes, bleuets, ananas, mangues, abricots, framboises ou canneberges.

Donne 12 portions.

GÂTEAU DE RÊVE DE SERGEÏ ✓✓
À LA JEUNE NOIX DE COCO

Ce gâteau a été primé lors du Raw Food Festival de Portland.

Croûte :

> 1 tasse de noix de Grenoble crues non trempées
> 1/2 tasse de vos dattes préférées dénoyautées
> 1/2 tasse d'eau de jeune noix de coco
> 4 c. à soupe de caroube crue
> 1 petite papaye

Mélanger les noix et les dattes dans un robot culinaire jusqu'à ce que la préparation soit lisse. Incorporer la caroube et l'eau de noix de coco. Étaler la moitié de la croûte sur une assiette. Disposer les tranches de papaye sur la croûte. Étaler l'autre moitié de la croûte.

Glaçage :

> 1 tasse de chair de jeune noix de coco
> Quantité suffisante d'eau pour obtenir un glaçage épais
> 1 c. à soupe de miel non pasteurisé

Mélanger tous les ingrédients dans un mélangeur ou le Vita-Mix. Étaler le glaçage sur le gâteau. Décorer de tranches de fruits et de noix.

GÂTEAU AU CHOCOLAT VÉGÉTAL

Croûte :
Combiner les ingrédients suivants, en les mélangeant bien :

> 1 tasse de noix moulues
> 1 c. à soupe d'huile
> 1 tasse de raisins secs
> 1 tasse de poudre de caroube crue
> 1 c. à thé de saveur au caramel écossais *Frontier*
> 1 c. à thé de vanille
> 1/2 c. à thé de muscade, de Nama Shoyu ou de liquide Bragg
> zeste de 4 mandarines, bien moulu
> 1 tasse de pruneaux trempés pendant 1 à 2 heures, moulus

Façonner en une croûte d'un pouce sur une assiette plate. Étaler les pruneaux moulus entre les couches (préparer autant de couches que désiré).

Garniture :
Bien mélanger les ingrédients suivants; ajouter de l'eau au besoin à l'aide d'une cuillère à thé :

> 1 tasse de chair d'avocat mûre
> 1 c. à thé d'huile d'olive
> 3 c. à soupe de miel
> le jus d'un citron moyen
> 1 c. à thé de vanille
> 4 à 5 c. à soupe de poudre de caroube

Étaler uniformément sur la croûte ou presser à l'aide d'un sac à glaçage. Garnir de fruits, de baies et de noix. Réfrigérer.
Donne 12 portions.

TARTE AUX DATTES ET AUX NOIX DE MACADAMIA ✓✓

Croûte :

4 tasses de noix de macadamia *ou pacane ou amande*
2 tasses de dattes
le jus d'une orange
1 c. à thé de sel
1/4 c. à thé d'extrait de caramel écossais ou de vanille

Mélanger les noix de macadamia dans un robot culinaire jusqu'à ce qu'elles soient hachées finement et transférer dans un bol. Mélanger ensuite les dattes et le jus d'orange dans le robot et ajouter aux noix. Bien mélanger avec le sel et l'extrait de caramel écossais.

Étaler la croûte en couche mince sur une assiette de grosseur normale. Trancher finement les bananes ou tout autre fruit et étaler sur le dessus de la croûte. Couvrir les fruits d'une autre couche de croûte.

Garnir la tarte de tranches d'orange minces et de noix ou de tout autre fruit.

Donne de 8 à 12 portions.

Recettes
TRUFFES SAVOUREUSES DE SERGEÏ

1 tasse de noix de Grenoble crues non trempées
1/2 tasse de vos dattes préférées dénoyautées
1/4 tasse d'eau de jeune noix de coco
2 ¼ c. à soupe de poudre de caroube crue — *tout mélangé ensemble*

Mélanger les noix et les dattes dans un robot culinaire jusqu'à ce que la préparation soit lisse.

Mélanger la poudre de caroube et l'eau de noix de coco. Façonner la préparation en petites boules et les rouler dans la caroube. Garnir de votre fruit préféré.

Donne de 8 à 12 truffes.

SCONES AUX CANNEBERGES D'ALLA

2 tasses de pommes râpées
2 tasses de pulpe de carottes (ce qui reste après avoir préparé du jus de carottes)
2 tasses de dattes ou de raisins secs hachés
1 tasse de canneberges (fraîches ou séchées)
2 c. à soupe de miel
2 tasses d'amandes moulues
1 tasse de graines de lin moulues avec 1 tasse d'eau
1/2 tasse d'huile d'olive

Mélanger avec les mains. On doit expérimenter pour obtenir la consistance désirée. Déposer à la cuillère sur des feuilles teflex.

Déshydrater entre 105 °F et 115 °F : environ 4 heures d'un côté; déshydrater de l'autre côté pendant 3 heures.

Donne 24 scones.

BISCUITS À LA COURGE BUTTERNUT DE SERGEÏ √√

4 tasses de courge Butternut pelée et coupée en morceaux de grosseur moyenne
1 tasse de raisins secs
le jus d'une orange
1/2 c. à thé de muscade
1 c. à thé de cannelle
3 c. à soupe de miel cru

Mélanger la courge en morceaux dans un robot culinaire et transférer dans un bol. Mélanger ensuite les raisins et le jus d'orange dans le robot et ajouter à la préparation à la courge. Ajouter le reste des ingrédients dans le bol et bien mélanger.

Utiliser une cuillère à crème glacée et déposer la préparation sur un plateau de déshydratation. Aplatir tous les biscuit jusqu'à ce qu'ils aient une épaisseur d'un pouce. Régler le déshydrateur à 100 °F et y laisser les biscuits pendant 12 à 15 heures.

Donne de 7 à 11 biscuits.

BISCUITS AUX AMANDES ET À L'ORANGE DE VALYA ✓✓

Mélanger les ingrédients suivants dans un robot culinaire ou un mélangeur jusqu'à ce qu'ils soient hachés finement :

> 4 tasses d'amandes crues trempées toute une nuit
> 2 tasses de raisins secs
> ~~1/2 tasse de zeste d'orange~~ ♒
> 2 oranges entières moyennes
> 1/2 c. à thé de sel
> 2 pommes

Lorsque tous les ingrédients sont hachés finement, utiliser une spatule pour étaler la préparation sur un plateau de déshydratation, régler le déshydrateur à 115 °F et déshydrater pendant 20 heures ou jusqu'à ce que les biscuits soient secs. Garnir chaque biscuit de noix tranchés ou de raisins secs.

Donne de 10 à 12 biscuits.

BISCUITS AUX DATTES ET AUX NOIX DE MACADAMIA

4 tasses de noix de macadamia
2 tasses de dattes
le jus d'une orange
1 c. à thé de sel
1/4 c. à thé d'extrait de caramel écossais ou de vanille

Mélanger les noix de macadamia dans un robot culinaire jusqu'à ce qu'elles soient hachées finement et transférer dans un bol. Mélanger ensuite les dattes et le jus d'orange dans le robot et ajouter aux noix. Bien mélanger avec le sel et l'extrait de caramel écossais.

Déposer la préparation à la cuillère sur des plateaux de déshydratation teflex et garnir de noix de pin. Régler le déshydrateur à 100 °F et déshydrater pendant 12 à 15 heures. Servir tiède.

Donne de 7 à 12 biscuits.

Recettes
BISCUITS AU SÉSAME

Voici une façon ingénieuse d'utiliser le reste de la pulpe de sésame après avoir préparé du lait de sésame.

> 5 tasses de pulpe de graines de sésame
> 2 tasses de raisins secs
> 3 c. à soupe de miel cru
> le jus d'une orange

Mélanger les raisins et le jus d'orange dans un robot culinaire jusqu'à ce que la préparation soit réduite en purée fine. Ajouter dans un bol contenant la pulpe de graines de sésame. Ajouter le miel et bien mélanger. Étaler la préparation sur des feuilles de déshydratation teflex et utiliser une spatule pour la couper en carrés. Saupoudrer de graines de pavot et déshydrater à 100 °F pendant 12 à 15 heures ou jusqu'à ce que les biscuits soient secs.

Donne de 15 à 20 biscuits.

CÉRÉALES MATINALES

> Faire tremper 1 tasse de gruau d'avoine toute une nuit
> Mélanger avec 3/4 tasse d'eau
> Ajouter 1/4 tasse de dattes dénoyautées ou de raisins secs, et mélanger
> Ajouter 1 c. à soupe de votre huile préférée (facultatif)
> Saler au goût (facultatif)

Garnir de fruits frais et de baies avant de servir.

Donne de 3 à 4 portions.

CÉRÉALES MATINALES AU SARRASIN ET AU MILLET

Laisser tremper les ingrédients suivants toute la nuit :

1 1/2 tasse de millet
2 tasses de sarrasin
1 tasse de noisettes hachées grossièrement

broyés individuelle non en poussière +

Autres ingrédients :

1 tasse de raisins secs
3 c. à soupe de miel
1 c. à thé de cannelle

À l'aide d'un rouleau à pâte, écraser le millet et le sarrasin. Transférer les céréales dans un bol et ajouter les noisettes hachées. Ajouter le reste des ingrédients et bien mélanger.

Étaler la préparation uniformément sur une feuille de déshydratation. Il est important d'éviter qu'elle soit trop mince ou trop épaisse quand on l'étale. Régler le déshydrateur à 100 °F et déshydrater pendant environ 10 à 12 heures, jusqu'à ce que la préparation soit complètement sèche. Accompagner d'un lait de noix.

Donne de 3 à 6 portions.

Recettes
LE SMOOTHIE PRÉFÉRÉ DE SERGEÏ ✓✓

Mélanger tous les ingrédients dans un mélangeur jusqu'à ce
que la préparation soit lisse :

2 oranges (pelées)
2 bananes congelées (ou autre fruit – facultatif)

*Placer les oranges au fond du mélangeur afin qu'il y ait assez
de liquide pour broyer les bananes congelées. Garnir les verres
de fraises fraîches!*

Donne de 2 à 3 portions (jusqu'à ce que vous ne puissiez plus
vous en passer. À ce moment, on obtient une seule portion).

LAIT DE NOIX OU DE GRAINES

1 tasse de n'importe quelles noix ou graines trempées
toute une nuit
2 tasses d'eau pure
1 c. à soupe de miel ou 2 à 3 dattes
1/4 c. à thé de sel celtique (facultatif)

Bien mélanger tous les ingrédients dans un mélangeur jusqu'à
ce que la préparation soit lisse. Passer la préparation dans un
sac à germinations (ou une étamine double). Verser dans un
pot.

Donne 4 portions.

LAIT D'AMANDES AU CHOCOLAT VÉGÉTAL

1 litre de lait d'amandes
1/2 tasse de dattes
1 jeune noix de coco (chair et eau)
2 c. soupe de poudre de caroube crue
1 gousse de vanille crue

Bien mélanger dans un mélangeur. Servir froid.

Donne de 5 à 7 portions.

LAIT FRAPPÉ AUX NOIX ʳᵛ

Mélanger les ingrédients suivants dans un mélangeur, jusqu'à ce que la préparation soit lisse :

3 tasses de lait d'amandes
1/2 tasse de fraises fraîches ou congelées
1 orange moyenne (pelée)
1 banane fraîche ou congelée
2 c. à soupe de miel ou 1/4 tasse de dattes dénoyautées
1/4 c. à thé de sel de mer
1 gousse de vanille
1/2 tasse de glace (la glace n'est pas nécessaire si on utilise des fruits congelés)

Donne de 4 à 5 portions.

YOGOURT DE NOIX OU DE GRAINES

difficile à réussir

1 tasse de n'importe quelles noix ou graines trempées toute une nuit
1 1/2 tasse d'eau pure

Bien mélanger les noix avec l'eau dans un mélangeur, jusqu'à ce que la préparation soit lisse. Continuer à ajouter de l'eau jusqu'à ce qu'on obtienne la consistance d'une crème épaisse. Passer la préparation dans un sac à germinations. Verser dans un bocal et couvrir d'un coton à fromage pour permettre le transfert de l'air et des gaz. Placer le bocal dans un endroit chaud où la température du yogourt peut s'élever jusqu'à 90 °F à 100 °F. Il sera prêt dans environ 6 à 12 heures ou quand il aura un goût aigre.

On peut confectionner les yogourts de noix et de graines avec des graines de sésame, des amandes, des pacanes, des noisettes, des noix d'acajou, des graines de tournesol et toute autre noix, graine ou une combinaison des deux. On peut jouer avec les saveurs en ajoutant du miel, du jus de citron, du sel de mer, de la vanille ou d'autres arômes. Plus le yogourt restera dans un endroit chaud, plus il deviendra fort et aigre.

Combinaisons suggérées pour la confection de yogourts savoureux :

Noix d'acajou	Noix de Grenoble et noix de pin
Noix d'acajou et sésame	Graines de tournesol et amandes
Pacanes et amandes	Noix d'acajou, amandes et sésame
Sésame et noisettes	Sésame et amandes
Noix d'acajou et graines de tournesol	

CREATIVE HEALTH INSTITUTE

The Wheatgrass Place
(La place de l'herbe de blé)

Le Creative Health Institute enseigne le
programme d'alimentation vivante du Dr Ann Wigmore

Le *Creative Health Institute* a célébré son 25e anniversaire en octobre 2001. Fondé par Donald O. Haughey, il a été inauguré par le Dr Ann Wigmore, qui a souvent enseigné à cet endroit au cours de sa vie. Nos programmes suivent ses enseignements dans la mesure du possible, comme ils sont énoncés dans ses livres *Why Suffer?* et *Be Your Own Doctor*.

Dans notre programme «apprenez par la pratique», on retrouve l'utilisation de l'herbe de blé pour désintoxiquer et favoriser la régénération, le jardinage à l'intérieur/biologique, l'hygiène corporelle, l'alimentation enzymatique, le compostage, la germination, la préparation de repas, la soupe énergisante et des exercices doux axés sur l'étirement et la respiration.

Ce programme est en fait un système de nutrition désintoxicant et régénérant que les participants peuvent intégrer à leur style de vie. Cette expérience est fondamentale pour jouir d'un mieux-être grâce à un mode de vie axé sur l'alimentation vivante.

Des centaines de personnes provenant de tous les coins du globe sont venues au *Creative Health Institute* pour apprendre à prévenir et à enrayer la maladie grâce au style de vie préconisé par les adeptes de l'alimentation vivante. Venez participer à cette grande aventure qu'est la vie en santé à une époque où nous en avons grandement besoin.

Créative Health Institute
www.creativehealtusa.com
Tél. : (517) 278-6260
Adresse électronique : creativehealth@hotmail.com
112 W. Union City Road, Union City, Michigan 49094 - USA

L'IMPORTANCE DU SOUTIEN

Par les Raw Seattle Support Groups
(Groupes de soutien des crudivores de Seattle)
www.rawseattle.org

À l'aide des 12 étapes menant vers une alimentation crue élaborées par Victoria Boutenko, *Raw Seattle* a mis sur pied deux groupes de soutien hebdomadaires. La plupart des gens de la communauté *Raw Seattle* ont commencé à vivre selon les préceptes de l'alimentation crue à cause d'elle et de nombreux membres de nos groupes de soutien ont commencé à y participer dès la fin du cours de Victoria. Les groupes de soutien sont devenus une mini-communauté d'êtres humains audacieux, soucieux des autres et passionnés explorant les frontières du monde qu'ils connaissent et créant de toutes nouvelles façons de vivre leur vie. Dans plusieurs autres communautés du Nord-ouest où Victoria a enseigné, des élèves ont également mis sur pied des groupes de soutien qui se réunissent régulièrement.

La transition de l'alimentation cuite à l'alimentation crue a été très difficile pour un grand nombre de nos membres. Ceux qui se fient uniquement à leur volonté pour abandonner la dépendance aux aliments cuits ne peuvent souvent faire un changement permanent. Le groupe de soutien procure un cadre naturel d'aide qui permet de mener une vie axée entièrement sur l'alimentation crue. Ce cadre structuré favorisant la confidentialité permet aux membres du groupe de partager avec sincérité leurs expériences personnelles.

À Seattle, nous sommes impatients de partager notre histoire afin d'inciter d'autres communautés à mettre sur pied leurs propres groupes de soutien. Si vous avez besoin d'aide, veuillez visiter le site Web www.rawseattle.org. Le calendrier indique le nom de la personne-ressource qui convient le plus au groupe de soutien à ce moment.

BIOGRAPHIE DE L'AUTEURE

Victoria Boutenko donne des cours d'alimentation crue à la Southern Oregon University. Ses cours sont très courus. En raison de ses enseignements, de nombreuses communautés vouées à l'alimentation crue ont été mises sur pied partout dans le monde.

Lorsque Victoria n'enseigne pas ou n'écrit pas, elle aime faire de la randonnée pédestre et du vélo, et nager en compagnie de sa famille crudivore à Ashland en Oregon.

La transition de la famille de Victoria vers l'alimentation crue est décrite dans le livre *Raw Family*.

AUTRES LIVRES ET CASSETTES PAR LA FAMILLE BOUTENKO

Livres

12 Steps to Raw Foods à 11.95 $ (USD)

Raw Family à 11.95 $ (USD)

Eating without heating à 11.95 $ (USD)

Cassettes audio

Raw Family à 12.95 $ (USD)

12 Steps to Raw Foods à 17.95 $ (USD)

Disponibles auprès de:

Jalinis
Tél : 1.514.898.8273
Courriel : info@jalinis .com
Internet : www.jalinis.com

Visitez le site web de la famille Boutenko

www.RawFamily.com
Courriel : info@rawfamily.com

N.B. Pour être bien renseigné sur les activités se déroulant en français, ou pour recevoir des recettes gratuites par courriel, visitez www.Jalinis.com

Également disponible aux Éditions Jalinis
514-898-8273, www.jalinis.com

Les Délices de l'alimentation vivante
par Jalissa Letendre

Les Délices de l'alimentation vivant ne s'adresse pas qu'aux
crudivores qui ont fait du régime cru leur mode d'alimentation
exclusif. Les recettes qu'on y trouve pairont aussi aux
gourmets, aux amateurs de produits frais et biologiques, et à
tous ceux qui se préoccupent de leur santé.

Cuisinons sans cuisson
par Valya et Sergei Boutenko

Valya et Sergei sont les enfants de Victoria et Igor Boutenko.
Ensemble, ils forment une famille extraordinaire, qui a
recouvré la santé grâce à l'alimentation vivante. Dans ce livre,
Valya et Sergei racontent aux adolescents comment ils vivent
et leur proposent 130 recettes crues délicieuses et faciles. Elles
sont bonnes pour les adultes, il va sans dire!

Jalinis
offre les meilleures marques de
déshydrateurs, extracteurs à jus et mélangeurs,
ainsi que différents appareils pour la cuisine.

On peut aussi s'y procurer plusieurs livres
et différents suppléments alimentaires
tels que jus d'orge, vitamine B12, etc.

Visitez notre site Internet pour la liste complète de nos
produits ou pour consulter l'horaire des ateliers et activités
dans le domaine de l'alimentation vivante.

Tél : 1.514.898.8273
Courriel : info@jalinis .com
Internet : www.jalinis.com

175